SCRATCH
SCRATCH

JOURNAL d'un dégonflé

Carrément claustro !

DE JEFF KINNEY

TRADUIT DE L'ANGLAIS (ÉTATS-UNIS)
PAR NATALIE ZIMMERMANN

SEUIL

Rejoins toi aussi la communauté des fans de Greg
sur www.journaldundegonfle.fr

Dans la même série :
Journal d'un dégonflé - Carnet de bord de Greg Heffley
Journal d'un dégonflé - Rodrick fait sa loi
Journal d'un dégonflé - TROP c'est TROP
Journal d'un dégonflé - Ça fait suer !
Journal d'un dégonflé - La vérité toute moche
Hors série : Journal d'un dégonflé à écrire toi-même

Texte et illustrations copyright © 2011 Wimpy Kid, Inc.
DIARY OF A WIMPY KID®, WIMPY KID™ and the Greg Heffley design™
are trademarks of Wimpy Kid, Inc.
Couverture : Jeff Kinney et Chad W. Beckerman
Première publication en anglais en 2011 par Amulet Books,
une marque de Harry N. ABRAMS, Incorporated, New York.
Titre original : Diary of a Wimpy Kid : Cabin Fever
(Tous droits réservés pour tous pays par Harry N. Abrams, Inc.)

Pour l'édition française, publiée avec l'autorisation de Harry N. Abrams, Inc.
© Éditions du Seuil, 2013. ISBN : 978-2-02-108378-1
Loi n°49-956 du 16 juillet 1949 sur les publications destinées à la jeunesse.

POUR TICHINO

NOVEMBRE

Samedi

La plupart des gens attendent les fêtes avec impatience, mais les quatre semaines qui précèdent Noël me mettent toujours sur les nerfs. Si on dérape pendant les onze premiers mois de l'année, ce n'est pas trop grave ; mais si ça arrive dans la dernière ligne droite, ça se paye très cher.

C'est trop dur de devoir se contrôler pendant tout un mois. Je n'arrive pas à tenir plus de six ou sept jours d'affilée, alors si on pouvait réduire le mois de décembre à une semaine, ça m'irait très bien.

Ceux qui ne fêtent pas Noël ont du bol. Au moins, ils n'ont pas à stresser à chaque fois qu'ils font une gaffe pendant cette période cruciale. En fait, j'ai quelques potes dans cette situation, et ils sont intenables en ce moment, parce qu'ils savent qu'ils peuvent tout se permettre.

OUPS !

CROCHE-PATTE

Le plus flippant dans tout ça, c'est cette histoire de père Noël. Ça me file carrément les jetons qu'il puisse savoir quand on dort ou pas. Je vais jusqu'à mettre un pantalon de jogging au lit pour qu'il ne me voie pas en slip.

Il paraîtrait que le père Noël nous surveille vingt-quatre heures sur vingt-quatre : eh bien je n'en suis pas convaincu. Il ne doit jeter un œil sur chaque gosse qu'une ou deux fois par an, et juste quelques secondes – mais, avec ma veine, ça se passe sûrement aux moments les plus gênants pour moi.

Si le père Noël voit VRAIMENT tout ce qu'on fait, je suis dans le pétrin. Alors, quand je lui écris, je ne lui dis pas ce que je veux comme cadeaux ni rien de tout ça. Je me contente de me présenter sous mon meilleur jour.

> Cher père Noël,
> Je n'ai pas jeté de pomme sur le chat de Mme Taylor, même si, de loin, on aurait pu le croire.
> — Meilleures salutations,
> Greg Heffley

Et puis il y a ces fameuses listes : d'un côté les enfants sages, de l'autre les méchants. On nous en parle tout le temps, mais on ne les VOIT jamais. Les adultes sont donc libres de nous raconter ce qui les arrange. Et il y a quelque chose qui me gêne là-dedans.

Je me demande si ce classement est si précis que ça. Il y a un type, Jared Pyle, qui habite pas très loin de chez moi, et s'il y a QUELQU'UN qui mériterait de se retrouver sur la « mauvaise » liste, c'est bien lui. Pourtant, à Noël dernier, il a reçu une moto tout-terrain, alors faut PAS chercher à comprendre.

Il n'y a pas que le père Noël qui m'angoisse. L'année dernière, en faisant du rangement, ma mère a mis la main sur une vieille poupée de quand elle était petite.

Elle nous a dit que c'était l'« Agent du père Noël » chargé de surveiller les enfants pour aller faire son rapport au pôle Nord.

Cette idée ne m'emballe pas. Je trouve d'abord qu'on devrait avoir le droit d'être un peu tranquille chez soi. Et deuzio, cet Agent du père Noël me file carrément la pétoche.

On ne me fera pas vraiment avaler que cette poupée rancarde le père Noël, mais, au cas où, j'essaie de me tenir particulièrement à carreau quand elle est dans les parages.

De toute façon, ça ne doit pas servir à grand-chose vu que mon grand frère, Rodrick, n'arrête pas de lui dire des horreurs sur moi.

Chaque matin, quand je me lève, l'Agent a changé de place, sûrement pour nous prouver qu'il a fait l'aller-retour au pôle Nord dans la nuit. Mais je commence à me demander si ce n'est pas Rodrick qui le déplace.

<u>Dimanche</u>

Aujourd'hui, on a sorti toutes les décorations de Noël de la cave. On en a des cartons pleins, et certaines sont vraiment vieilles. Il y en a une qui me met franchement la honte, avec une photo de Rodrick et moi en train de prendre un bain dans l'évier, mais maman n'a pas voulu que je la jette.

On a mis le sapin dans le salon et on a commencé à accrocher les guirlandes. Mon petit frère, Manu, faisait la sieste à l'étage. Quand il s'est réveillé et a vu qu'on décorait le sapin sans lui, ça a été le drame.

En fait, si Manu était dans tous ses états, c'est parce qu'on avait accroché sa décoration préférée, un sucre d'orge qu'il adore. Alors maman l'a décrochée pour qu'il la remette lui-même.

Mais Manu voulait que ce soit la PREMIÈRE décoration du sapin, alors il a fallu qu'on enlève tout ce qu'on avait déjà mis pour lui faire plaisir.

Et il n'y a pas un jour sans qu'il se passe un truc
de ce genre à la maison.

Ma mère n'a pas encore brandi la menace du père Noël
pour apprendre à Manu à bien se tenir, mais je suis sûr
que ça ne va pas tarder. Pourtant, je ne trouve pas que
ce soit une si bonne méthode que ça : dès que Noël est
passé, maman n'a plus vraiment de moyen de pression.

Lundi

À la fin du trimestre, on a eu un concours au collège pour trouver le meilleur slogan contre le harcèlement, et le premier prix était une pizza party pour toute l'équipe gagnante.

FINISSONS-EN AVEC LE HARCÈLEMENT!

Formez une équipe de cinq élèves maxi et trouvez le meilleur slogan contre le harcèlement. L'équipe gagnante sera invitée à une PIZZA PARTY à la cafétéria! Mettons fin aux brutalités!

Tout le monde voulait des pizzas gratos, et on était prêts à TOUT pour les gagner. Deux groupes de filles du même niveau que moi ont trouvé des slogans très proches, et se sont accusés mutuellement d'avoir piqué l'idée à l'autre.

Ça a dégénéré, et l'adjoint du principal a dû intervenir pour empêcher que ce soit l'émeute générale.

De toute façon, cette année, la seule brute en titre au collège, c'est Dennis Rout. Et avec toutes les pancartes et affiches collées partout, je crois qu'il a dû saisir le message.

La veille de Thanksgiving, il y a eu une grande
réunion contre les brutalités au collège. Tout le monde
regardait Dennis. Il m'a fait pitié, et j'ai essayé
de le réconforter un peu.

Si Dennis est la seule vraie brute de notre établissement
cette année, l'an DERNIER, il y en avait tout
un TAS. On n'arrêtait pas de se faire embêter
pendant les récrés. Alors les profs ont installé un poste
où il suffisait d'appuyer sur un bouton pour appeler
un adulte.

Au bout du compte, le poste d'appel a fini par devenir LE lieu où les grosses brutes guettaient leurs prochaines victimes.

Les profs disent que les VANNES comptent comme des brutalités, mais je ne vois pas comment ils pourraient arrêter ÇA. Dans mon collège, les élèves se traitent toujours de tous les noms et s'envoient des vannes.

En fait, si j'essaye de ne pas me faire remarquer, c'est en partie parce que je ne veux pas me retrouver avec le genre de surnom que se traîne Cody Johnson.

Quand il était à la maternelle, Cody a marché dans une crotte de chien, et depuis, tout le monde l'appelle « Boudin ».

Et je ne parle pas que des élèves. Les profs, et même le PRINCIPAL, l'appellent comme ça.

Je vais vous dire: si jamais on me file un surnom comme Boudin, je pars m'installer dans une autre ville.

Mais le risque, c'est qu'un mec de mon ANCIEN collège rapplique dans ma nouvelle ville, et tout serait à refaire.

Les profs nous disent toujours que quand on se fait harceler, il faut prévenir un adulte. Ça paraît une bonne idée, mais ça n'a pas trop bien marché quand j'ai eu des problèmes.

Il y avait un type qui habitait pas loin de chez moi, et, je ne sais pas pourquoi, tout le monde l'appelait « Gros Crado ».

À chaque fois que mon copain Robert et moi, on passait devant chez Gros Crado, il nous courait après avec un bâton.

Le truc qui craignait vraiment, c'est que dans ce coin-là, il y avait un petit bois qui nous servait de raccourci pour aller en classe. Du coup, on devait faire tout un détour pour éviter de se faire courser par Gros Crado.

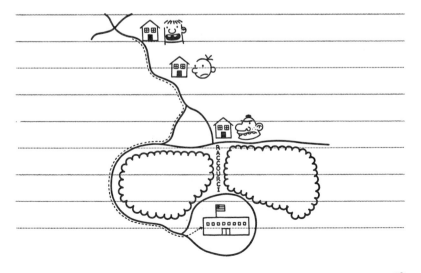

Alors on a suivi EXACTEMENT les recommandations des profs et on a alerté M. Roy, le principal adjoint. Mais il nous a dit que comme Gros Crado ne fréquentait pas notre collège, il ne pouvait rien y faire.

On s'est encore fait courser plusieurs fois et j'ai fini par en avoir marre. Alors j'en ai parlé à mon père. J'avais peur qu'il me dise que je devais m'endurcir et apprendre à me débrouiller tout seul, mais il m'a étonné. Papa m'a dit que LUI aussi avait été harcelé quand il avait mon âge et qu'il savait ce que c'était.

La brute qui s'en prenait à lui s'appelait Billy Staples. Son truc, c'était de tordre le bras de ses victimes derrière leur dos et de pousser jusqu'à ce qu'elles hurlent.

Tous les gosses du quartier s'étaient plaints à leurs parents, qui s'étaient rendus chez Billy pour voir son père et sa mère. M. Staples avait alors fait promettre à Billy de ne plus jamais s'en prendre à qui que ce soit. D'après papa, Billy avait fondu en larmes et peut-être même pissé dans son froc.

Après avoir entendu ça, je me suis dit que Billy Staples ne devait pas arriver à la cheville de Gros Crado.

Mais j'ai dit à mon père que ce serait une bonne idée d'aller voir ses parents. Ensuite, j'ai appelé Robert pour lui demander de venir avec son père, parce qu'on allait avoir besoin de renfort.

Papa a frappé à la porte de Gros Crado, et on a attendu qu'un de ses parents vienne ouvrir.

Mais c'est Gros Crado lui-même qui a ouvert, et Robert et moi, on a décampé.

J'imagine que j'aurais dû décrire Gros Crado à mon père avant d'y aller, parce qu'il a mis un moment à comprendre que c'était ce gosse-là qui nous persécutait.

Il a quand même parlé à Mme Crado, et elle lui a dit que son fils n'avait que cinq ans et qu'il était parfois un peu taquin.

En rentrant, papa était furax que je me sois laissé harceler par un gosse de maternelle. Mais je dois dire pour ma défense que quand on se fait courser par une brute armée d'un bâton, on ne prend pas le temps de lui demander son âge.

Mardi

Aujourd'hui, ils ont démonté le dernier jeu qu'il y avait dans la cour. On avait commencé l'année avec plein de trucs, comme des échelles de suspension, des balançoires et tout ça, mais maintenant, il n'y a plus qu'un grand carré de sciure.

Et la récré ressemble à une cour de prison.

Il paraît que le collège n'arrivait plus à payer l'assurance pour les agrès, alors, à chaque fois qu'il y avait un problème ou qu'un élève se faisait mal sur un appareil, le plus simple était de le supprimer.

Au mois d'octobre, en faisant de la balançoire, Francis Knott a fait un vol plané et atterri sur le tape-cul. Du coup, on a supprimé les deux.

OUARGH!

On a perdu l'échelle de suspension quand Christine Higgins a grimpé dessus et a eu trop peur pour redescendre.

Comme les profs n'ont plus le droit de toucher les élèves, ils ont dû appeler ses parents pour qu'ils viennent la chercher.

Il ne restait plus que la poutre au sol, et je pensais que personne ne pourrait se faire mal LÀ-DESSUS. Pourtant, vous n'allez pas le croire, mais il y a un crétin qui n'a pas regardé où il mettait les pieds, alors on n'a plus de poutre non plus.

ARGHHH!

CROCHE-PATTE

Sans agrès, on n'a vraiment plus rien à faire. Les profs ne veulent même pas qu'on s'asseye. Ils disent qu'on doit rester « actifs ».

Et ce n'est pas comme si on avait le droit d'apporter des jeux ou des consoles pour s'occuper. En fait, si on se fait prendre avec un jouet dans la cour, on se le fait confisquer. La semaine dernière, quelqu'un a trouvé une petite voiture dans la sciure. Elle avait l'air d'être là depuis des années.

Il lui manquait trois roues, mais les mecs s'ennuyaient tellement qu'ils ont fait la queue pour jouer avec pendant que les autres faisaient le guet.

Maintenant, dans notre collège, on vend des jouets sous le manteau. Hier, Christophe Stangel a apporté des Lego de chez lui. Il paraît qu'il les vendait cinquante centimes la brique.

Les profs ont aussi interdit certains jeux qu'on aimait bien. La semaine dernière, des élèves jouaient à chat glacé, et il y en a un qui s'est fait mal quand un autre l'a poussé dans le dos.

Donc, on n'a plus le droit de se toucher ni même de COURIR. Du coup, maintenant, on joue à chat soufflé et on se déplace en marchant vite. Mais ce n'est pas pareil.

Si vous voulez mon avis, je trouve qu'on en fait un peu trop avec tous ces trucs de sécurité. J'ai vu Manu jouer au minifoot, et tous les petits devaient porter des casques de vélo.

Le seul point positif maintenant que les agrès ont disparu, c'est que j'ai une chance de mieux m'en sortir en classe.

Je fais partie de ceux qui ont du mal à se concentrer quand le prof parle. Et quand il y a une autre classe en récré derrière la fenêtre, c'est quasiment impossible d'écouter.

Mercredi

D'accord, je retire ce que j'ai dit sur l'avantage de ne plus avoir d'agrès. Depuis que les élèves n'ont plus rien à faire en récré, ils se collent aux fenêtres pour regarder les autres travailler. Et ça empêche gravement de se concentrer pendant les contrôles.

En plus, je ne suis pas hyper rapide en calcul.

En CE2, mon institutrice, Mme Sinclair, nous a appris les tables de multiplication en chansons. Ça reste dans la tête, mais ça ralentit pas mal.

TROIS FOIS UN TROIS, TROIS FOIS UN ÇA FAIT TROIS. EST-CE QUE TU LE CROIS, TROIS FOIS UN ÇA FAIT TROIS. TU METS ÇA DANS TA P'TITE CABOCHE, TU RÉPÈTES APRÈS MOI ET C'EST DANS LA POCHE!

(PETITE MUSIQUE DE JAZZ)

En début d'année, on a eu un prof de maths, M. Spark, qui montait sur sa chaise à chaque fois qu'il voulait qu'on se souvienne de quelque chose d'important.

Et puis un jour qu'il essayait de nous enseigner un nouveau concept mathématique, un pied de sa chaise a cédé et il est tombé.

Il s'est cassé la clavicule, et j'ai entendu dire qu'il faisait un procès au collège. Je ne sais plus ce qu'il voulait nous expliquer ce jour-là, mais j'ai retenu qu'il ne faut jamais grimper sur le mobilier.

Aujourd'hui, pendant la récré, on attendait juste de rentrer en classe quand Robert s'est mis à faire le tour de la cour en sautillant.

Il y en a qui se sont mis à l'encourager et à applaudir.
Ils devaient penser que Robert protestait contre
le nouveau règlement en faisant des petits bonds.
En fait, c'est juste que Robert aime bien sautiller.

Je ne sais pas pourquoi, mais ça m'insupporte de le voir
faire, alors quand il a fait tout le tour de la cour comme
ça, j'ai pété les plombs. Cette manie est un vrai sujet
de dissension entre nous. Robert prétend que je suis
jaloux parce que je n'arrive pas à sautiller, mais je trouve
juste que ces petits bonds lui donnent l'air débile.

Je dois reconnaître que je n'ai jamais eu le coup pour sautiller. J'étais même le seul gosse de CP à ne pas y arriver.

J'avais peur qu'on ne me fasse redoubler à cause de ça. Heureusement, on m'a quand même fait passer en CE1. J'espère que ça ne me posera pas de problème un jour.

On est tellement différents, Robert et moi,
que je me demande parfois comment on a pu devenir
potes. Mais maintenant que c'est fait et que ça risque
de durer, j'essaye de passer sur toutes ses manies
énervantes.

Jeudi
Ce qui craint avec cet Agent du père Noël qui surveille
le moindre de mes gestes à la maison, c'est que je ne
peux pas faire ce que je fais d'habitude.

Il y a quelques années, mes parents ont mis
des cadeaux sous le sapin une semaine avant Noël,
et ça me rendait dingue de ne pas savoir ce que c'était.

FLOUF
FLOUF

J'ai vu mon nom sur un des paquets, et j'étais à peu près sûr qu'il contenait un jeu vidéo. J'ai fait un tout petit trou dans le papier d'emballage, et c'était bien le jeu que j'avais commandé.

Au bout d'un moment, c'est devenu intenable de savoir que ce jeu était là, sous le sapin, sans pouvoir y toucher. Alors j'ai carrément fait une fente dans le haut du paquet pour sortir le jeu.

J'ai ouvert le boîtier en plastique pour prendre le CD. Ensuite, j'ai remis la boîte dans son emballage et j'ai mis du Scotch.

Mais j'avais la trouille que ma mère prenne le paquet et s'aperçoive qu'il était trop léger. Alors je l'ai rouvert et j'ai mis un CD de heavy metal de Rodrick à la place.

J'ai joué à ce jeu tous les soirs, dès que mes parents étaient couchés, et je suis même arrivé au bout.

Mais j'ai oublié de le remettre dans la boîte et, à Noël, quand j'ai ouvert mon cadeau devant mon père et ma mère, le CD de Rodrick est tombé par terre.

Le lendemain de Noël, maman a reporté le CD au magasin de jeux et a enguirlandé le vendeur pour lui avoir vendu un produit « inadéquat » pour les enfants.

C'est juste que je déteste ne pas savoir ce que je vais avoir à Noël, et il y a des fois où c'est plus fort que moi. L'an dernier, je suis passé par la boîte mail de ma mère pour demander à toute la famille ce qu'ils voulaient me donner.

À : Mamie, oncle Joe, oncle Charlie, Grand-mère, Pépé, oncle Gary, Joanne, Leslie, Byron, <u>23 suite</u>

OBJET : Cadeaux

Salut tout le monde,

Dites-moi ce que vous achetez à Greg cette année, pour qu'il n'y ait pas de doublons.

Merci, Susan

Mais ma mère a sa boîte mail sur l'ordinateur de la cuisine, et ce n'est pas évident de se connecter dessus avec l'Agent du père Noël qui ne me quitte pas de l'œil.

Ce soir, j'ai passé du temps à chercher ce que j'allais mettre sur ma liste de Noël. J'essaye d'être aussi précis que possible parce que, à chaque fois que je laisse faire mes parents, je me retrouve avec n'importe quoi.

Une année, j'ai oublié d'écrire ma liste et je m'en suis mordu les doigts. Maman était enceinte de Manu et elle voulait que je sois prêt à accueillir un petit frère.

Alors, pour Noël, elle m'a offert un POUPON.

Au début, je ne voulais même pas y toucher.

Et puis je me suis rendu compte qu'une poupée qui MANGE pouvait se révéler très pratique. Je crois bien que mes lèvres n'ont pas touché le moindre légume le mois où j'ai reçu Alfredo.

Mais cette poupée ne m'a pas servi qu'à ça.
J'ai découvert qu'elle faisait aussi un excellent chevalet pour tenir mes BD.

Et je dois reconnaître qu'au bout de quelques mois, je me suis vraiment attaché à ce poupon.

Comme je n'avais pas d'animal, c'était cool d'avoir à m'occuper de quelque chose, pour une fois.

> IL N'EST PAS BEAU ALFREDO, AVEC SES SOULIERS DE GRAND GARÇON? OH QUE SI, IL EST BEAU!

Mais un jour, je suis rentré de l'école et Alfredo est resté INTROUVABLE. J'ai fouillé la maison de fond en comble, sans résultat.

Tout ce qui m'est venu à l'idée, c'est que j'avais dû le faire tomber quelque part sans m'en apercevoir.

OBSTACLE

J'étais effondré d'avoir perdu Alfredo. Et je flippais encore plus à l'idée que ma mère allait me croire incapable de m'occuper de mon petit frère. Alors j'ai pris un pamplemousse dans le frigo et j'ai dessiné une tête dessus, au feutre.

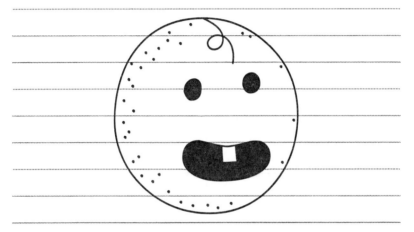

Ensuite, j'ai enveloppé le pamplemousse dans un torchon et, pendant les trois mois qui ont suivi, j'ai fait comme si c'était mon poupon.

Mes parents n'ont pas eu l'air de remarquer quoi que ce soit. Mais moi, j'étais terrifié à l'idée que le VÉRITABLE Alfredo revienne se venger d'avoir été abandonné et remplacé par un fruit.

En fait, aujourd'hui encore, je ne suis pas tranquille. C'est pour ça que je vérifie systématiquement que ma fenêtre est bien fermée avant de me coucher.

Ça me gêne un peu de l'avouer, mais j'ai fini par m'attacher aussi à ce PAMPLEMOUSSE. Cependant, au bout d'un moment, il a commencé à pourrir et l'odeur bizarre a conduit mon père jusqu'au faux Alfredo.

La perte de mon poupon n'a pas semblé trop déranger ma mère, mais elle ne m'a jamais laissé plus d'un quart d'heure seul à la maison avec Manu.

Comme je le disais, c'était cool d'avoir à s'occuper de quelque chose, et ça me manque. Alors, ces derniers temps, je me suis pas mal consacré à un jeu qui s'appelle Kréaturs du Net.

En réalité, je joue à Kréaturs du Net dès que j'ai une seconde. Le principe, c'est de nourrir son animal et de le rendre heureux. Quand il est content, on gagne des jetons qui permettent de lui acheter des fringues, des meubles, ce genre de trucs.

J'y ai tellement joué que mon chihuahua virtuel a une grande baraque avec piscine intérieure, piste de bowling, et dans les cent cinquante tenues différentes.

La seule chose qui me contrarie, c'est son NOM. C'est ma mère qui a ouvert mon compte, et je n'arrive pas à modifier le nom qu'elle a enregistré au départ.

**LE PETIT COPAIN
DE GREGORY**

Maman me répète que je m'occupe mieux de mon animal virtuel que de MOI-MÊME, et elle n'a pas tort.
Ce week-end, j'ai joué pendant seize heures d'affilée, sans même prendre une pause pour aller aux toilettes.

Dès qu'on arrête de filer de nouveaux trucs à son animal, il déprime, et ça me met dans un état pas possible.

BAROMÈTRE DE FORME

LE PETIT COPAIN DE GREGORY SE SENT : BARBOUILLÉ

Le problème, c'est qu'on ne peut GAGNER
qu'un nombre limité de jetons. Après, il faut les acheter
pour de vrai. Malheureusement, je n'ai pas encore
de carte de crédit alors je dois supplier mes parents
de me prêter la LEUR.

Et pour convaincre mon père d'ouvrir son portefeuille
pour acheter un chouette costard à un animal virtuel,
il faut s'accrocher.

BAROMÈTRE
DE FORME

LE PETIT
COPAIN
DE GREGORY
SE SENT :
D'ENFER

Cette année, pour Noël, je vais demander un peu
de Frik de Kréaturs. Mais je cherche encore ce que
je vais mettre d'AUTRE sur ma liste. Il y a PLEIN
de trucs qui me seraient utiles, parce qu'il y a quinze
jours, quand j'ai passé la nuit à l'hosto pour me faire
opérer des amygdales, Manu a vendu la moitié
de mes affaires.

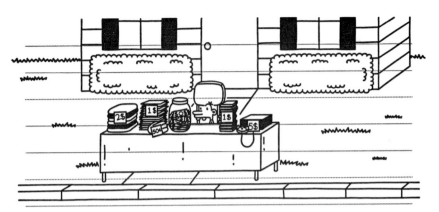

Je ne crois pas que je vais demander le jeu vidéo
ou le jouet habituels, cette année. L'expérience
m'a montré qu'à chaque fois qu'on reçoit un cadeau cool
pour Noël ou son anniversaire, on le paye très cher
la semaine suivante.

ON TE REPREND ÇA
JUSQU'À CE QUE
TES NOTES DE FRANÇAIS
S'AMÉLIORENT.

Ce que je sais avec certitude, c'est que cette fois
je n'accepterai que des cadeaux achetés en magasin.
À Noël dernier, ma mère m'a offert une jolie couverture
tricotée main, et j'ai dû passer la moitié de l'hiver
enroulé dedans.

Et puis j'ai trouvé une photo montrant cette couverture
sur le grand-oncle Bruce, qui est mort récemment.
J'ai refilé la couverture à Rodrick pour son anniversaire.

<u>Dimanche</u>

Je pensais jouer à Kréaturs du Net tout le week-end,
mais ma mère a décrété que ce n'était « pas sain »
de passer autant de temps sur ce jeu, et que je devais
faire des choses avec de « vrais êtres humains ».

J'ai donc invité Robert à la maison alors que je n'avais
pas encore complètement digéré cette histoire
de sautillement.

Robert est arrivé, et on s'est mis devant la télé
pour jouer aux jeux vidéo. Mais ma mère nous a
ordonné d'éteindre le poste et de faire des choses
« face à face ».

Il faut dire que si on est potes, Robert et moi,
c'est principalement parce que ça ne le DÉRANGE pas
de me regarder jouer.

En plus, si nos ancêtres ont inventé la technologie,
c'est bien pour ne plus rien avoir à faire les uns avec
les autres, non ?

Maman nous a envoyés au sous-sol, et on a essayé
de trouver comment s'occuper. J'avais demandé à Robert
d'apporter des DVD pour qu'on puisse les regarder tard
le soir.

Mais il n'a apporté que des vidéos MAISON,
et je ne regarderais pas ÇA même si on me PAYAIT.

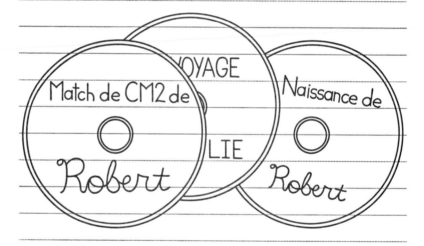

Maman nous a descendu des bouquins de « phrases
loufoques » : on remplit les blancs et on obtient
un texte rigolo.

Dans un premier temps, Robert choisissait les mots et je les écrivais dans les pointillés.

Ça donnait effectivement des trucs marrants, CONTRAIREMENT à la nouvelle manie de Robert qui dit « LOL » au lieu de rigoler.

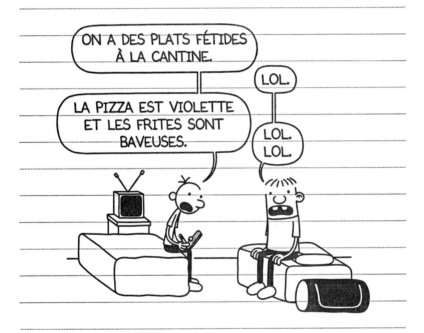

J'ai cru que j'allais péter un câble. Alors on a échangé, et c'est moi qui ai donné les mots. Robert m'a demandé un nom de sport, et je lui ai dit « badminton ».

Mais il m'a soutenu que c'était « padminton », avec un « p ». Et on s'est disputés à cause de la première lettre de « badminton ».

J'ai déniché un dictionnaire, que j'ai donné à Robert
en lui disant de regarder lui-même. Mais au lieu de rester
à la lettre « b », Robert s'est tapé toutes les pages
de la lettre « p ». Et comme il n'a pas réussi à trouver
« padminton », il a tout repris depuis le début.

> PACAGE...
> PACHA...
> PADDOCK...

Robert m'a accusé d'avoir un dictionnaire périmé et que
c'était pour ça que « padminton » ne s'y trouvait pas.
ALORS on s'est disputés pour savoir en quelle année
le badminton avait été inventé.

Là, je commençais à en avoir sérieusement marre
de Robert : si on ne passait pas à autre chose, on allait
encore en venir aux mains.

J'ai dit à Robert qu'on devrait peut-être jouer
à un autre jeu, et il a répondu d'accord pour une partie
de cache-cache. Le problème, quand on joue à cache-
cache avec lui, c'est qu'il croit qu'à partir du moment
où il ne VOUS voit pas, vous ne LE voyez pas non
plus. Ça retire du suspense.

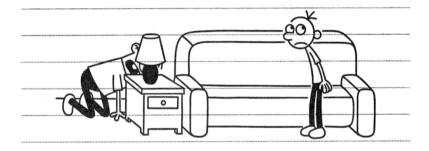

On avait besoin de mettre un peu de distance entre
nous, et j'ai pensé à un truc. Je lui ai proposé de voir
qui était le plus courageux des deux, et on est sortis
par la baie vitrée.

On devait traverser les bois et écrire notre nom sur
la cabane qu'on avait construite dans un arbre l'été
dernier. Celui qui se défilerait aurait tort pour
cette histoire de badminton et devrait appeler l'autre
« Monsieur » pour le restant de ses jours.

Robert a eu l'air de trouver ça juste.

J'ai dit que j'irais en premier et je suis parti dans les bois. Mais dès que j'ai été hors de vue, j'ai couru jusqu'à la porte d'entrée.

Il n'était pas question que je m'enfonce tout seul, de nuit, dans cette forêt. J'avais déjà écrit mon nom sur le tronc de l'arbre à l'époque où on avait construit la cabane, et c'est ce qui m'avait donné l'idée de ce défi.

Je suis donc rentré chez moi par la porte de devant, je me suis servi une coupe de glace et je me suis détendu un moment. Et je dois avouer que cette petite pause m'a fait le plus grand bien.

Une fois ma glace terminée, j'ai contourné la maison
et me suis frotté un peu de terre sur la figure
et les vêtements avant d'arriver par les bois en courant.

Je n'aurais peut-être pas dû en rajouter autant,
parce que Robert s'est complètement défilé.

De toute façon, j'avais eu exactement la pause qu'il me fallait, et le reste de la nuit s'est déroulé sans disputes.

Ce matin, comme on allait à la messe, on a emmené Robert. Sa famille ne doit pas fréquenter beaucoup l'église, alors il ne sait jamais ce qu'on est censés dire ou faire, ni quand. Il faut sans arrêt que je lui indique quand s'agenouiller, se lever, ce genre de choses.

Vers la fin, ça a été le moment de serrer la main de ses voisins en signe de paix. J'ai dit « la paix soit avec toi » à Robert et il s'est mis à rigoler.

Il a dû croire que je lui disais « le pet soit avec toi ».

Je ne pense pas que Robert ait non plus compris qu'on est juste censés serrer la main de ses voisins. Quand la dame assise derrière nous lui a dit « la paix soit avec toi », Robert lui a fait un gros bisou baveux sur la joue.

Après la messe, on a déposé Robert chez lui, et j'ai été content qu'il soit parti pour pouvoir retourner jouer à mon jeu.

J'ai l'impression que ma mère aussi était soulagée.

DÉCEMBRE

<u>Mardi</u>

Ma mère a débarqué dans ma chambre pendant que
je jouais à Kréaturs du Net. Elle a observé un moment,
et puis m'a demandé quel était mon rôle. Je lui ai
expliqué que je regardais mon chihuahua regarder la télé,
parce qu'un minimum de deux heures de pub par jour
rend les animaux virtuels heureux et permet de gagner
vingt jetons de bonus.

J'en ai profité pour lui demander si elle pouvait me filer
un billet de dix parce que la boutique de Kréaturs
du Net venait de recevoir des chaussures de trampoline,
et que le Petit Copain de Gregory adorerait les avoir.

Mais ce n'était visiblement pas le bon moment pour lui
réclamer un prêt parce qu'elle avait l'air de mauvais poil.
Elle a prétendu que je n'avais aucune conscience
de la valeur de l'argent, et que si je voulais payer pour
les petites «manies» des Kréaturs du Net, il faudrait
que ce soit de ma poche.

Je me suis plaint que je n'avais pas d'argent à moi
et que c'était pour ça que je devais toujours les taper,
elle et papa. Elle a répondu qu'il y avait DES TAS
de trucs à faire pour en gagner. Par exemple, comme
il était censé neiger cette nuit, je pourrais dès demain
proposer de déblayer les allées des voisins.

Mais je trouve ça TRÈS gênant de frapper chez les gens pour leur réclamer de l'argent. Le collège organise trois collectes de fonds par an, et je dois faire du porte-à-porte pour supplier des quasi-inconnus de m'acheter des trucs.

La plupart du temps, je ne sais même pas ce que je vends.

BONJOUR, MONSIEUR KAPPLER, AIMERIEZ-VOUS ACHETER DES BULBES D'AMARYLLIS?

J'aimerais qu'on nous donne des trucs UTILES à vendre, comme des friandises ou des petits gâteaux. Les scouts ont de la chance de vendre des trucs qui font ENVIE aux gens.

Le système de ces collectes, c'est que les élèves se tapent tout le boulot et que le collège nous file des récompenses complètement nazes en échange. Un jour, j'ai vendu pour 20 dollars de café gastronomique en grains, et tout ce que j'ai reçu, c'est un Yo-Yo nul qui a cassé dans la seconde.

Robert, lui, s'est BIEN fait rouler. Il a vendu pour 150 dollars de café en grains et a reçu un piège à doigt chinois en cadeau. Pour le coup, le piège marchait correctement, mais Robert n'a jamais pu sortir son doigt et sa mère a dû découper le boîtier.

L'année dernière, le collège a essayé une autre méthode.
On a vendu des billets de tombola. Le gros lot,
c'était « un nettoyage de printemps de votre jardin
par la classe de 5ᵉ ».

C'est Mme Spangler, qui habite en bas de la rue, qui a
gagné. Le premier jour du printemps, toute la classe
de 5ᵉ a donc débarqué chez elle. Mais il n'y avait
que deux râteaux pour tous les élèves, alors la plupart
se sont juste assis sans rien faire.

À la fin du « nettoyage de printemps », le jardin était en plus mauvais état qu'au début.

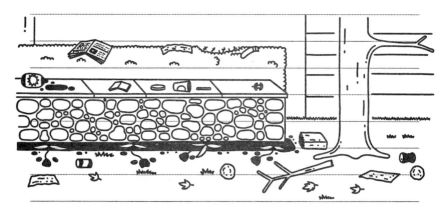

La dernière trouvaille du collège, c'est d'organiser des Marchethons. Il s'agit de nous faire faire des tours de stade à la marche, genre cent ou deux cents tours, et de faire payer les tours par des voisins.

MARCHETHON

Tableau des commanditaires

Nom	0,25 $ / tour	Nombre de tours
1. Georgette Kramer		100
2. Tony Sinclair		150
3. Henry Nielson		50
4. Leslie Simpson		100
5. Barbara Preston		150
6. Line Collison		100
7.		
8.		

Je comprends qu'on demande de payer pour des bulbes
de plantes, du café en grains ou ce genre de choses,
mais je ne vois vraiment pas quel plaisir on peut trouver
à faire tourner deux cents fois des gosses autour
d'un terrain de foot.

Le but du Marchethon de septembre était de payer
une pancarte à mettre devant l'entrée du jardin public.

Pourquoi le collège n'a pas demandé directement aux élèves de nettoyer le parc au lieu d'organiser ce Marchethon, ça m'échappe. Mais c'est vrai que si les 5es avaient participé, ils auraient risqué de tout bousiller.

J'ai fait le calcul : chaque adulte habitant dans ma rue me donne en moyenne 23 dollars par an pour les collectes du collège.

Je devrais donc inviter une fois par an tous les voisins à passer chez moi pour m'apporter les 23 dollars en liquide. Ça nous épargnerait à tous beaucoup de souffrance et d'angoisse.

Mercredi

Cette nuit, comme l'avait annoncé ma mère, il a neigé, et pendant que tous les gosses du quartier profitaient de leur jour de congé j'ai arpenté le trottoir pour trouver du travail.

Je cherchais par qui commencer, mais le choix était difficile. Mme Durocher habite juste en face de chez nous, mais elle est un peu trop affectueuse, et j'essaye autant que possible de l'éviter.

Il y a aussi M. Alexander, qui a emménagé dans la maison des Snella. Il n'a pas dû porter d'appareil quand il était petit, parce qu'il n'a pas les dents très droites. Malheureusement, la première fois que papa l'a rencontré, c'était pour Halloween, et il a cru qu'elles étaient fausses.

Alors j'ai préféré zapper aussi la maison de M. Alexander.

Il y a des gens qui habitent dans ma rue mais à qui je n'ai pas parlé depuis des ANNÉES. Quand j'avais quatre ans, mes parents ont organisé une fête avec des voisins. Pendant la soirée, je suis descendu pour aller aux toilettes.

J'imagine qu'à cet âge, je ne savais pas qu'on est censé fermer la porte à clé, et M. Harkine est entré pendant que j'y étais.

Une fois sorti, je suis allé trouver ma mère pour me plaindre, et M. Harkine n'a pas dû très bien le prendre.

Je ne peux donc pas non plus aller frapper à la porte
d'un type que j'ai balancé quand j'étais en maternelle
et lui demander de l'argent.

Aujourd'hui, j'ai pris conscience qu'il y avait un passif
trop important entre mes voisins et moi, alors
j'ai décidé d'aller une rue plus loin et de repartir de zéro.

J'ai commencé par la maison qui fait le coin et
j'ai frappé à la porte. Et puis j'ai reconnu la dame
qui a ouvert. C'était Mme Melcher, qui joue au bingo
avec Grand-mère.

Je lui ai expliqué que j'essayais de gagner un peu
d'argent en déblayant la neige, et que je serais ravi
de dégager son allée pour 5 dollars.

Elle m'a répondu qu'elle ne recevait jamais de visite
et m'a invité à entrer pour bavarder un peu.

Comme je ne voulais pas me montrer grossier, je me suis
retrouvé dans son salon, au milieu des décorations
de jardin qu'elle avait rentrées pour l'hiver. Je ne me
sentais pas très à l'aise, mais je me disais que quand
on demande de l'argent, le moins qu'on puisse faire,
c'est d'être poli.

Pourtant, je n'arrêtais pas de penser à tout le fric
que j'aurais pu gagner si j'avais frappé chez quelqu'un
d'autre.

J'ai bien dû rester là une heure avant de pouvoir
ramener la conversation sur le déblayage de son allée.
Et Mme Melcher m'a dit alors que son fils n'allait pas
tarder et qu'il dégagerait la neige gratuitement avec
sa camionnette. C'est une heure de ma vie perdue
à tout jamais.

Je suis ressorti et j'ai frappé aux portes.
Mais la plupart des gens devaient être au travail,
et j'ai mis un moment avant de trouver quelqu'un.
J'ai enfin eu de la chance, et un type qui avait l'air
de sortir du lit m'a ouvert. Je lui ai proposé de déblayer
son allée pour 5 dollars, et il a répondu marché conclu.

Je me suis mis au travail, et ça avançait bien.
Mais il s'est remis à neiger pendant que je déblayais.

Le temps que je termine, il avait tellement neigé
qu'on ne voyait même plus ce que j'avais dégagé.

J'ai donc sonné et j'ai demandé au type s'il voulait
que je recommence pour 5 dollars de plus.
Mais il n'a pas marché.

Pire, il a dit qu'il ne voulait pas me payer les premiers
5 dollars tant que l'allée ne serait pas dégagée
comme convenu. Vous voyez, c'est pour ça qu'il vaut mieux
faire signer un contrat avant de commencer à bosser.

Je me suis donc remis à pelleter, mais la neige tombait
tellement fort que c'était peine perdue.

Et puis j'ai eu une idée. Grand-mère habite tout près, et je me suis rappelé qu'elle avait une tondeuse à gazon dans son garage. Alors je suis allé chez elle et j'ai poussé la tondeuse jusqu'à chez mon client.

Je croyais que tondre la neige serait une idée de génie, et je ne comprenais pas que personne n'y ait pensé plus tôt.

Malheureusement, ça n'a pas marché aussi bien que je l'espérais. J'imaginais que la neige serait envoyée sur les côtés, mais les lames avaient beau passer dedans, elle restait où elle était.

VRRRRRRRRRR

Et puis la tondeuse a fini par faire des bruits bizarres avant de s'arrêter complètement.

Je suppose que ces engins ne sont pas vraiment conçus
pour le froid.

J'ai ramené la tondeuse dans le garage de Grand-mère.
Elle aura sûrement le temps de dégeler avant l'été.

En attendant, l'allée du type n'était toujours pas
déblayée, la neige tombait de plus en plus fort
et il n'était pas question que je travaille toute
la journée pour 5 dollars. Il fallait que je trouve
une solution rapide pour passer à autre chose.

J'ai remarqué que le tuyau d'arrosage était toujours
en place. Alors j'ai ouvert le robinet, j'ai placé l'embout
sur position « douche » et j'ai arrosé toute la neige
de l'allée.

C'était SUPER. L'eau faisait fondre la neige
instantanément et c'était de tout repos. Et puis
j'ai repéré un arroseur automatique contre la maison,
et ça m'a donné une idée encore plus GÉNIALE.

Dès que la neige a été fondue, j'ai arrêté l'eau
et j'ai frappé à la porte du type. Il a vu que son allée
était propre et m'a filé mes 5 dollars.

Les événements prenaient un tour assez excitant,
et je me suis dit que si je trouvais d'autres clients
équipés d'arroseurs, je pourrais mettre en route plusieurs
chantiers à la fois.

Manque de pot, tous les gens étaient absents.
Mais mon idée n'aurait sûrement pas marché de toute
façon. Le temps que je repasse devant chez mon client,
l'allée que j'avais arrosée avait gelé.

Quand mon père est rentré à la maison, on a dû
ressortir acheter cinq gros sacs de sel pour dégeler
l'allée du type.

Au lieu d'avoir un peu d'argent en poche pour tout
le mal que je m'étais donné, je me suis retrouvé avec
un trou de 20 dollars dans mon budget.

Jeudi
Mon père n'était pas ravi que j'aie transformé l'allée
d'un voisin en patinoire, et il s'est dit déçu que j'aie
« aussi peu de jugeote ». C'est déjà ce qu'il m'avait
dit il y a quelques semaines, quand j'ai rayé sa voiture.

Tout a commencé le jour où j'ai été nommé « élève
de la semaine » au collège. Quand on obtient ce titre,
on reçoit un sticker à coller sur la voiture familiale.

L'autocollant est carrément nul, mais c'était quand même cool de le gagner.

Je ne sais pas vraiment pourquoi je l'ai gagné, mais je suppose que tout le monde finit par l'avoir un jour. Freddy a décroché le titre vendredi dernier, sûrement parce qu'il n'a mordu personne pendant cinq jours de suite.

Ma mère voulait coller le sticker sur sa voiture, mais il y en avait déjà tellement que le mien ne se serait même pas remarqué. Alors j'ai demandé à mon père si je pouvais le mettre sur la sienne.

Il venait de s'acheter une nouvelle voiture,
et je trouvais que mon autocollant aurait de la gueule
à l'arrière.

Mais papa a répondu qu'il ne voulait pas « esquinter »
sa voiture neuve. Ça m'a déçu, mais je pouvais
le comprendre. On n'a jamais rien de chouette
dans ma famille, et quand papa est revenu de chez
le concessionnaire avec une voiture de sport, ça m'a pas
mal étonné.

HÉ,
HÉ.

En fait, ma mère n'était pas contente que papa ait
choisi une voiture sans en avoir discuté avec elle.

Elle a dit que c'était une voiture tape-à-l'œil,
et qu'avec ses deux portes, elle n'était pas « pratique »
pour une famille de cinq. Mais papa a décrété que c'était
la voiture qu'il voulait, et il l'a gardée.

Du coup, je ne savais plus quoi faire avec mon autocollant,
alors je l'ai donné à Manu en lui disant qu'il n'avait
qu'à le mettre sur son camion.

Mais Manu s'est retourné et l'a collé aussi sec en plein
sur la portière conducteur de papa.

J'ai flippé un max parce que mon père penserait sûrement que c'était moi qui l'avais mis. J'ai essayé de le décoller tout de suite, mais ils doivent mettre de la Super Glue sur l'envers de ces trucs. Alors j'ai pris de l'eau et du savon et j'ai FROTTÉ.

Vingt minutes plus tard, j'avais à peine entamé le pourtour.

J'ai cherché d'autres ustensiles de nettoyage dans le placard sous l'évier, et j'ai trouvé des tampons en laine d'acier qui avaient l'air de pouvoir convenir.

Ça marche bien sur les poêles et les casseroles, et comme la voiture est en métal aussi, je me suis dit que ça valait le coup d'essayer.

Et de fait, la laine d'acier a fait partir le sticker les doigts dans le nez.

C'était tellement facile que je me suis même laissé un peu emporter. J'en ai profité pour enlever les insectes écrasés et les crottes d'oiseau. J'étais sûr que papa serait drôlement content que je lui nettoie sa voiture gratos. Mais quand j'ai passé le jet d'eau, j'ai eu une énorme surprise.

La laine d'acier n'avait pas juste ôté le sticker
et les crottes. Elle avait aussi gratté la PEINTURE.

J'ai paniqué et passé les marques au feutre indélébile.
Mais l'endroit où il y avait eu l'autocollant était trop
grand, alors j'ai imité l'écriture de ma mère pour écrire
un mot que j'ai scotché sur la tache.

Coucou, mon chou !
J'espère que tu as passé
une super journée !
P.S. Pourquoi ne pas laisser
ce mot sur ta voiture pour
le relire demain ?

Je croyais que le mot me ferait gagner plusieurs jours,
mais mon père a découvert la tache en un rien de temps.

Il était furieux contre moi, mais maman a pris
ma défense. Elle a dit que tout le monde peut faire
des erreurs, que l'important est de retenir la leçon
et de passer à autre chose.

Je lui dois une fière chandelle sur ce coup-là.
Elle a réussi à calmer papa, et je ne me suis même pas
fait punir.

Il a ramené la voiture au magasin pour savoir combien
lui coûterait une retouche de peinture.

Le concessionnaire lui a répondu que ça serait très cher parce que ce n'était pas de la peinture de série.

Pour ma mère, c'était un « signe » : papa n'aurait jamais dû acheter cette voiture de sport et il devrait l'échanger contre un monospace d'occasion. C'est donc ce qu'il a fait.

Le plus drôle, c'est qu'il y avait déjà un vieux sticker du Meilleur élève de la semaine sur le monospace. Mais papa n'a pas eu l'air d'apprécier l'humour de la chose.

Dimanche
Généralement, on va à la messe de 9 heures, mais cette fois, on est allés à l'office folk de 11 heures.

Ce qui change, c'est la musique. À 11 heures, il y a un groupe qui joue de la guitare et tout ça. La semaine dernière, maman a convaincu Rodrick d'entrer dans le groupe parce qu'elle avait lu sur un prospectus qu'ils cherchaient un « percussionniste ».

Rodrick a dû s'imaginer qu'il jouerait de la batterie à l'église, et il a accepté.

Mais en réalité, le groupe folk cherchait quelqu'un pour jouer des petites percussions, genre tambourin et castagnettes.

Rodrick a fait son possible pour avoir l'air cool devant tous les fidèles, aujourd'hui, mais ce n'était vraiment pas évident avec des maracas à la main.

Je sais ce que c'est que de se laisser embobiner sans connaître tous les détails. L'année dernière, ma mère m'a poussé à m'inscrire au club des pré-ados de la paroisse, et j'ai découvert trop tard qu'ils n'étaient pas très rigoureux dans leur définition de « pré-ado ».

Chaque année, notre église organise un arbre aux dons :
les personnes dans le besoin mettent leurs souhaits
dans des enveloppes et les accrochent à un arbre.
Les familles prennent les enveloppes au hasard, et sont
censées acheter ce qui est marqué.

Un homme adulte voudrait une écharpe et des gants.

Pour autant que je sache, rien n'empêche de mettre
un souhait dans l'arbre aux dons, alors j'ai tenté
ma chance et fait une demande.

Mais quelque chose me disait que mes parents
n'approuveraient pas. Alors j'ai pris des précautions.

Un jeune garçon voudrait de l'argent,
autant que vous êtes prêts à donner.
SVP, laissez la somme dans une enveloppe
vierge sous le bac de tri sélectif,
derrière l'église.
P.S. Prenez garde de ne pas être suivi.

Lundi
Cette année, à la cafétéria, on a créé une zone à part
pour les élèves allergiques aux arachides. C'est super que
le collège ait pensé à ça, mais ça veut dire beaucoup
moins de place pour les autres.

Je ne sais pas s'il y a des élèves allergiques aux
arachides chez nous, mais la zone délimitée est restée
complètement déserte pendant les deux premiers mois
de l'année.

À midi, Ricardo Fridman a dû avoir envie de s'étaler, parce qu'il s'est installé en plein milieu de la zone sans arachides pour manger les sandwiches à la confiture et au beurre de cacahuète qu'il a rapportés de chez lui.

On avait assemblée générale, aujourd'hui, et on ne tenait pas en place parce qu'on nous avait promis un film. Malheureusement, ce n'était qu'un film pédagogique sur ce qu'il faut manger.

Je sais que je devrais manger plus sainement, mais si on retire la malbouffe de mon alimentation, je suis mal, vu que je me nourris à 95 % de nuggets de poulet.

Le collège a vraiment décidé de mettre le holà à la malbouffe dans la cafétéria. La semaine dernière, ils ont remplacé le distributeur de sodas par un distributeur d'eau en bouteille. Mais s'ils comptent faire payer 1 dollar la bouteille d'eau, ils feraient mieux de le mettre ailleurs.

La cantine a aussi rayé de sa carte des préparations comme les hot dogs ou les pizzas pour proposer des produits plus sains.

Ils ont même remplacé les frites par un nouveau plat :
les « bâtonnets de l'extrême ». Mais il ne nous a pas
fallu plus de cinq secondes pour comprendre que c'était
juste des morceaux de carottes.

Généralement, j'apporte mon déjeuner au collège, mais
j'achète toujours des cookies aux pépites de chocolat
à la cafétéria. Depuis la semaine dernière, à la place
des cookies aux pépites de chocolat, il y a des biscuits
d'avoine aux raisins secs. J'en achète quand même,
mais c'est dur d'éviter les raisins secs.

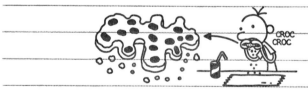

Je ne vous raconte pas le NOMBRE de fois où
j'ai mordu dans un biscuit aux raisins secs en croyant
que c'était des pépites de chocolat.

Ma théorie, c'est que les biscuits d'avoine aux raisins secs ont été inventés il y a bien longtemps pour faire une blague et pas du tout pour être mangés.

Ces changements de menu ne semblent pas trop déranger les élèves, mais ce qui n'est vraiment pas passé, c'est d'avoir supprimé les boissons énergétiques.

Si le collège a arrêté la vente de Total Fury,
c'est parce que les profs assurent que le colorant rouge
rend les élèves hyperactifs. Il suffit de venir dans
ma classe après déjeuner pour comprendre de quoi
ils parlent.

Mais quand ils en ont arrêté la vente, les élèves
qui buvaient trois ou quatre canettes de Total Fury
par jour n'étaient absolument pas prêts à décrocher.
Il y en a même qui ont dû aller à l'infirmerie parce que
le manque leur filait des tremblements.

Malgré les plaintes, le collège a refusé de remettre
la Total Fury en vente. Du coup, Léon Bonfils
en a ramené de chez lui tout un sac à dos et les a
vendues 3 dollars la canette.

À la récré, les types qui avaient acheté des Total Fury à Léon se sont planqués derrière le bâtiment pour siroter discrètement leurs canettes.

Mais une surveillante, Mme Lahey, s'est méfiée et est allée voir ce qu'ils fabriquaient derrière le collège.

Elle les a obligés à vider leurs canettes par terre s'ils ne voulaient pas être envoyés chez le principal.

Dès qu'elle a eu le dos tourné, les types ont retiré leurs chaussures et ont épongé chaque goutte de liquide avec leurs chaussettes.

<u>Mardi</u>

Si le collège nous prend la tête avec ces histoires
d'alimentation, c'est parce que les évaluations nationales
de santé arrivent bientôt. On va devoir passer toutes
sortes de tests, comme des séries de pompes et d'abdos.

L'année dernière, notre collège s'est classé dans
les 10 % les plus nuls d'Amérique, et j'ai l'impression
que les profs sont prêts à tout pour que ça change.

Les adultes disent que si on est aussi nombreux
à ne pas tenir la forme, c'est parce qu'on ne fait pas
assez d'exercice. Mais ce n'est pas en nous retirant
nos jeux de la cour qu'ils vont régler le problème.

Lors des évaluations, ils vérifient combien de pompes
on arrive à faire d'affilée. Les filles de notre classe
ont obtenu un meilleur score que les garçons, mais c'est
juste parce qu'on leur a donné des pompes beaucoup plus
faciles.

Les garçons doivent garder le corps bien droit et
descendre jusqu'en bas avant de remonter.

Alors que les filles ont les genoux qui touchent
par terre, ce qui est un ÉNORME avantage.

Remarquez que toutes les filles n'étaient pas ravies qu'on leur fasse faire des pompes spéciales. Il y en a même qui ont signé une pétition pour réclamer les mêmes que les nôtres.

Je sais d'où leur vient cette idée. En histoire, on a vu comment les gens s'y prennent depuis des siècles pour faire changer ce qui les dérange. C'est comme ça que des Américains déguisés en Indiens ont jeté le thé des Anglais à l'eau et déclenché la guerre d'Indépendance.

Les filles devaient s'attendre à une guerre ouverte avec M. Dubois, mais il s'est contenté de leur dire qu'elles pouvaient faire des pompes normales si elles voulaient. Alors maintenant, on est tous dans la même galère.

Pourtant, le principe de la pétition m'a paru être une bonne idée. Et les garçons devraient avoir droit aux pompes simplifiées s'ils le veulent. J'ai donc rédigé une nouvelle pétition et j'ai cherché des signatures.

Mais quand j'ai vu quel genre de types était prêt à la signer, j'ai tout laissé tomber.

Il y a une quinzaine de jours, on a fait des abdos en EPS. J'ai eu des crampes et j'ai demandé à M. Dubois si je pouvais finir la série à la maison. Il a dit d'accord, à condition que je puisse prouver que je les avais bien faits.

Le lendemain, j'ai pris le mascara de ma mère et je me suis dessiné des tablettes de chocolat sur le ventre. Puis je me suis arrangé pour être torse nu quand M. Dubois a traversé le vestiaire.

Le problème, c'est qu'il y a eu des copieurs et que le jour d'après, la moitié des mecs de ma classe montraient LEURS faux abdos.

Pourtant, certains dessinaient VRAIMENT très mal.

M. Dubois n'y a vu que du feu. Du moins, jusqu'à ce qu'on transpire et que le mascara se mette à couler.

Mercredi

Ça fait plusieurs jours que j'ai des alertes sur mon compte des Kréaturs du Net. Si je ne trouve pas de Frik de Kréaturs vite fait, je suis très mal parti.

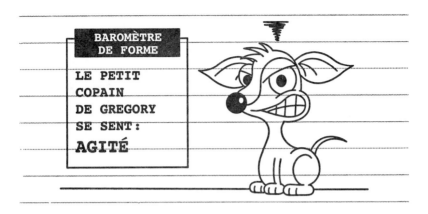

J'ai demandé à ma mère si elle pouvait me dépanner pour que je puisse ramener le baromètre de ma Kréatur sur Calme, mais elle s'est montrée inflexible.

Et puis elle a ajouté que cette année, elle ne me filerait pas non plus d'argent pour faire mes cadeaux de Noël. Elle dit qu'à mon âge, je dois payer ces cadeaux avec MON argent pour qu'ils aient un « sens ».

D'habitude, ma mère me donne 20 dollars pour faire mes cadeaux, et j'achète tout à la kermesse du collège. C'est super, parce que je fais tous mes achats d'un coup, et que c'est vraiment pas cher.

En plus, il me reste toujours un peu de fric pour moi.

Je le dépense la plupart du temps au stand barbecue.
Ils ont les meilleures cuisses de poulet grillées que j'aie
jamais mangées, mais ils leur donnent un nom tellement
stupide qu'on a du mal à les commander.

Je ne vois pas comment je vais pouvoir gratter de quoi acheter des cadeaux à tout le monde. En fait, je ne peux compter sur un peu d'argent de poche que deux fois par an : à Noël et pour mon anniversaire.

Je m'estime déjà heureux qu'il y ait plusieurs mois entre les deux : au moins, je reçois des cadeaux de Noël ET des cadeaux d'anniversaire. Je plains ceux qui sont nés pendant les fêtes, parce qu'on a tendance à regrouper les deux et à leur sucrer la moitié des cadeaux.

Ce n'est pas juste, mais j'imagine que c'est comme ça depuis des millénaires.

Aujourd'hui, j'ai eu une idée. Je n'ai peut-être pas d'argent, mais j'ai quelque chose qui vaut cher :
une première édition dédicacée du roman graphique
La Tour des Druides.

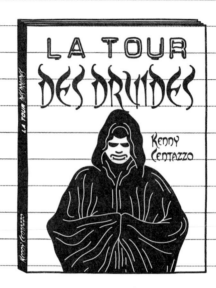

J'ai eu ce livre signé par l'auteur, Kenny Centazzo, au Salon de la BD de l'an dernier.

En réalité, ce n'est pas exactement moi qui l'ai fait dédicacer — c'est ma mère. J'ai fait la queue pendant deux heures et demie et puis j'ai dû aller aux toilettes. Quand je suis revenu, ma mère avait fait signer le bouquin.

J'étais trop dégoûté de ne pas avoir rencontré Kenny Centazzo, mais j'avais quand même son autographe.

D'après ce que j'ai vu sur Internet, une première édition signée de *La Tour des Druides* vaut dans les 40 dollars. Si je le vends, j'aurai de quoi acheter mes cadeaux de Noël et le Jacuzzi dont le Petit Copain de Gregory a tellement envie.

J'ai parlé à ma mère de mon projet de vendre le livre, et ça ne lui a pas plu. Elle a dit que j'avais beaucoup attendu pour le faire signer et que je regretterais de ne plus l'avoir.

Elle a ajouté que quand j'aurai des enfants,
ils m'en voudront à mort de l'avoir vendu parce qu'à
ce moment-là, il vaudra très cher.

Ça règle le problème. J'ai déjà décidé que je n'aurai
PAS de gosses. Je veux rester célibataire, comme l'oncle
Charlie, qui dépense tout ce qu'il gagne en vacances,
siège de toilettes chauffant et ce genre de trucs au lieu
de tout gaspiller pour un tas de gamins ingrats.

Je peux remercier la documentaliste, Mme Schneiderman,
qui m'a fait connaître la série *La Tour des Druides*
en ouvrant une section de romans graphiques au CDI
du collège.

Je ne sais pas depuis quand on appelle les BD
des romans graphiques, mais ça m'arrange bien. Il y
a des profs qui disent que ça ne compte pas vraiment
comme de la lecture, mais pour moi, à partir du moment
où c'est au CDI, on a le droit d'en faire des résumés.

Manque de pot, quand Mme Schneiderman a ouvert la section de romans graphiques, elle a fermé celle de Lecture facile. Je me servais toujours de ces bouquins-là pour faire mes comptes-rendus parce qu'ils se lisaient en quarante-cinq secondes chrono.

Quand j'étais petit, je voulais écrire des histoires. Mais à chaque fois que je racontais mes idées à ma mère, elle me disait que ça avait déjà été fait.

J'ai compris que toutes les bonnes idées avaient déjà été prises avant même que je sois né.

Ma mère m'a dit que si je voulais devenir auteur, il fallait que je trouve quelque chose d'original. Mais les idées neuves ne se bousculaient pas, alors j'ai pris un de mes livres préférés, et je l'ai recopié à peu près mot pour mot, en faisant juste quelques petites modifs.

Quand elle a lu ce que j'avais écrit, ma mère a été impressionnée, et elle a dû me prendre pour une sorte de génie.

Alors elle s'est laissée un peu emporter. Elle a envoyé mon manuscrit à un éditeur new-yorkais, qui lui a répondu que j'avais plagié *Geoffroy le Gorille,* un best-seller pour petits.

Maman était furax que j'aie recopié le bouquin, et ça m'étonne qu'elle ne s'en soit pas aperçue toute seule.

Geoffroy le dinosaure se balance de branche en branche. Il se pose sur un arbre et mange une banane.
— Ouh ouh ouh, dit Geoffroy en se frappant la poitrine.

Jeudi

En fait, il se trouve que mon exemplaire dédicacé de La Tour des Druides ne vaut pas un clou. Hier après-midi, je l'ai porté à la librairie de BD en espérant le vendre, mais le type qui bosse là m'a assuré que la signature était un faux.

Je lui ai dit que je ne voyais pas de quoi il parlait, puisque ma mère l'avait fait signer par l'auteur en personne. Mais le vendeur m'a montré un catalogue où il y avait la signature de Tony Centazzo, et elle ne ressemblait PAS DU TOUT à celle de mon livre.

J'étais paumé, mais, en rentrant chez moi, j'ai compris ce qui avait dû se passer. Ma mère en avait probablement eu marre de faire la queue et avait signé ELLE-MÊME le bouquin. En fait, l'inscription aurait dû m'alerter.

Les lecteurs sont les vainqueurs !
Continue de lire pour réaliser tes rêves !
Ton pote,
Kenny

Ça ne serait pas la PREMIÈRE fois que ma mère a recours à ce genre de ruse car elle ne supporte PAS de faire la queue.

Quand j'étais petit, j'aimais bien me faire prendre en photo avec des personnages dans les parcs d'attractions. Mais à chaque fois qu'il y avait plus de cinq minutes de queue, maman filait devant et prenait une photo du personnage avec le gosse qui posait avec lui. C'est pour ça qu'on a des albums de vacances pleins de photos d'inconnus.

En rentrant, je suis allé directement voir ma mère avec mon livre, et elle a fait une tête qui ressemblait à un aveu. Je comprends mieux pourquoi elle ne voulait pas que je le vende.

J'espère juste qu'elle comprendra, quand elle verra que je ne lui ai rien acheté pour Noël, que c'est entièrement de sa faute.

Vendredi
Même si j'en veux encore à ma mère pour cette histoire de signature, je dois reconnaître qu'elle m'a sorti d'un mauvais pas. Au collège, Robert avait un paquet cadeau à la main et je lui ai demandé ce que c'était. Il m'a répondu que c'était son cadeau mystère.

J'avais COMPLÈTEMENT oublié cette histoire de cadeau mystère.

Chaque élève est censé acheter un cadeau pour le camarade qu'on lui a désigné, et le remettre de façon anonyme.

Pour Lenny
De la part de
son copain mystère

L'élève à qui j'étais censé offrir un cadeau était Dino Delarosa, que je connais depuis longtemps. En CE2, il m'a invité à son anniversaire. Mais ma mère s'est trompée, et j'y suis allé une semaine trop TÔT.

La mère de Dino nous a dit que la fête aurait lieu la semaine suivante et on est rentrés à la maison.

Mais le cadeau que ma mère avait acheté pour Dino était vraiment cool, et j'ai fini par jouer avec.

Quand la vraie fête d'anniversaire de Dino est arrivée, j'avais déjà cassé la main du robot et perdu l'arme qui allait avec, alors je n'y suis pas allé.

Depuis, je me suis toujours senti coupable, et je ne voulais pas priver une deuxième fois Dino de son cadeau. J'ai donc demandé à la concierge du collège d'appeler ma mère pour qu'elle me trouve quelque chose.

Et elle est arrivée juste à temps.

La prof a distribué les cadeaux mystères, et j'ai reçu un pot de bonbons nounours. À la fin, il ne restait plus qu'un seul cadeau sous l'arbre, celui de Dino.

Malheureusement, ma mère avait zappé que le cadeau était censé être ANONYME, j'ai eu la honte de ma vie quand la prof a lu tout haut la carte accrochée au paquet.

SUR CELUI-LÀ, C'EST MARQUÉ : «POUR DINO DELAROSA, DE LA PART DE TON COPAIN SECRET, GREG HEFFLEY.»

Dino a eu l'air de vouloir disparaître dans un trou, et j'ai ressenti exactement la même chose.

Samedi

J'ai toujours cru que la kermesse était le seul endroit
au monde où l'on pouvait acheter des cuisses de poulet
grillées. Mais aujourd'hui, j'ai accompagné ma mère
au supermarché, et vous ne CROIREZ jamais ce que
j'ai trouvé au rayon surgelés.

POULET BBQ

POULET BBQ

20 PILONS À PASSER
AU MICRO-ONDES

Je sais maintenant que je pourrai manger des cuisses
de poulet à volonté, et aussi qu'on se fait
COMPLÈTEMENT arnaquer, à la kermesse.
On peut en avoir toute une boîte en magasin
pour le prix de trois ou quatre pilons au collège.

En fait, maintenant que j'avais trouvé où acheter
des cuisses de poulet BBQ surgelées, je pouvais organiser
ma propre KERMESSE.

Mais il fallait d'abord que j'achète le stock du magasin avant de me faire doubler par le collège.

Il y a déjà eu des trucs de ce genre organisés par des gosses de mon quartier. L'été dernier, Bryce Anderson et ses potes ont monté un restaurant pour tous les parents du coin.

J'ai entendu dire qu'ils ont empoché pas loin de 300 dollars, et je sais de source sûre qu'un des acolytes de Bryce s'est acheté un pistolet à air comprimé tout neuf avec sa part.

Comme je ne pouvais pas monter une kermesse tout seul,
j'ai demandé à Robert de me filer un coup de main.
On a déniché des décorations de Noël et autres objets
à vendre à la cave. Puis j'ai réalisé que si on voulait
rivaliser avec la kermesse du collège, il faudrait trouver
des jeux plus cool que le chamboule-tout ou la planche
à savon.

Robert a proposé de faire tomber les gens dans
une cuve pleine d'eau, mais je ne pense pas que ma mère
autoriserait ça chez nous : on a déjà fait le coup
de la cuve l'été dernier, dans le jardin de Robert,
et ça a été une CATASTROPHE.

On ne savait pas qu'on était censés protéger le type
au-dessus du bassin en mettant du grillage autour.

Robert et moi, on s'est dit que ce serait vraiment super
si on pouvait proposer un jeu d'arcade. Comme on n'avait
pas assez d'argent pour acheter de vraies machines,
on a pris des cartons dans la cave pour fabriquer
des versions maison.

On a commencé par Pacman parce qu'on a pensé que
ce serait plus facile. C'est juste un petit personnage
qui se balade et mange des boulettes en se faisant
poursuivre par des fantômes.

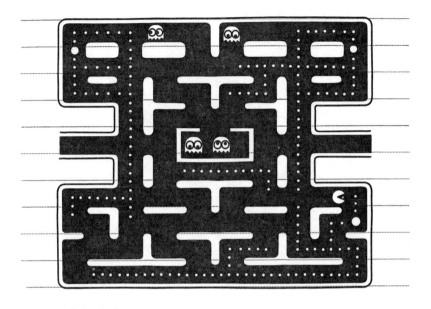

Dans notre version, Robert devait rester planqué
à l'intérieur d'un carton pour animer les fantômes collés
sur des crayons pendant qu'à l'extérieur, le joueur ferait
bouger Pacman avec un bâton de sucette.

On a passé deux heures à faire en sorte que le carton ressemble exactement à une vraie machine.

Pendant qu'on travaillait, Robert a voulu savoir combien de temps il resterait dans le carton et ce qui se passerait s'il avait besoin d'aller aux toilettes. Je lui ai filé une grande bouteille de soda vide à garder avec lui pour la petite commission.

Il a insisté pour savoir quoi faire en cas de grosse commission ; je lui ai répondu que c'était chaque chose en son temps.

Quand on a eu fini de colorier la machine, on a commencé à découper la fente par laquelle devaient passer les bâtons de sucette.

Mais on n'a pas assez réfléchi : on a à peine eu le temps de découper le pourtour du circuit que tout le labyrinthe est tombé à l'intérieur du carton.

Du coup, on ne risque pas de se faire plein de thune avec Pacman, sauf si les gens sont prêts à payer pour voir Robert assis dans un carton.

Dimanche

Robert et moi, on est encore loin d'avoir terminé
de préparer notre kermesse, mais j'ai pensé qu'il valait
mieux ne pas attendre la dernière minute pour lancer
le projet. On est donc allés au journal local pour
leur demander de passer une double page de publicité
en couleurs dans l'édition de demain.

Ils nous ont répondu qu'une pub de ce genre coûtait
dans les 1000 dollars. J'ai proposé de payer
le LENDEMAIN de la kermesse, mais ils n'ont rien
voulu entendre, même quand je leur ai dit combien
de portions de poulet BBQ on projetait de vendre.

Alors je leur ai proposé d'écrire un article sur nous
pour expliquer comment deux gosses ordinaires
organisaient une kermesse, et de ne rien nous
faire payer.

Ils nous ont dit que notre kermesse ne « méritait pas un article ».

C'est nul que ce journal contrôle de fait toute l'information que reçoivent les gens. Je l'ai dit à ma mère, qui nous a suggéré de lancer notre propre journal pour annoncer notre kermesse.

J'ai trouvé que c'était une idée géniale, et, avec Robert, on s'est mis au travail tout de suite. On a d'abord trouvé un nom, et on a monté la première page.

La COMMÈRE
du quartier

L'ESCROQUERIE SUR LE POULET BBQ RÉVÉLÉE AU PUBLIC !

Les envoyés de *La Commère* ont découvert le scandale des prix qui s'envolent à la kermesse du collège. Les pilons de poulet BBQ sont vendus à la kermesse plus de six fois leur prix en magasin.

— Je suis outré, commente un client régulier qui ne souhaite pas révéler son nom...

(Suite de l'article page 2)

Un nouveau rendez-vous pour concurrencer la kermesse du collège.

Alors que le quartier se remet encore du scandale du poulet BBQ, deux garçons ont décidé de moraliser les choses.

— On veut lancer notre propre kermesse, annonce Greg Heffley, organisateur de...

(Suite de l'article page 3)

Pour être pris au sérieux, on aurait besoin de plusieurs pages. Alors on a cherché des idées de rubriques. J'ai pensé qu'il nous faudrait une page de BD.

On a ajouté une rubrique de conseils, où les gens posent des questions sur leurs problèmes. Mais comme on n'avait pas le temps d'attendre qu'on nous envoie de vraies questions, on en a inventé.

Greg vous répond

Cher Greg,

Ma femme critique tout ce que je fais. L'autre jour, il faisait un peu frais et j'ai mis des chaussettes avec mes sandales. Elle m'a obligé à rentrer mettre des chaussures fermées. Elle me traite comme un gosse, mais elle a une forte personnalité, et j'hésite à la contredire. Que puis-je faire ?

Bien à vous,
UN FRUSTRÉ

Cher FRUSTRÉ,

On ne PEUT pas porter de chaussettes avec des sandales. Présentez tout de suite des excuses à votre femme.

Greg

Cher Greg,

Êtes-vous célibataire ?

Bien à vous,
LES DAMES

Chères LES DAMES,

Eh bien, en fait, oui !

Greg

Avec ce projet de journal, Robert est tout excité. Il veut faire comme les vrais reporters et chercher des scoops. Je l'ai envoyé faire le tour du quartier pour voir s'il ne pouvait pas déterrer quelques ragots. Mais on ne peut pas dire qu'il en ait ramené un article coup de poing.

Le petit chat s'amuse

par ROBERT JEFFERSON

Hier, le petit chat de Mme Salter, Mitaine, s'est amusé dans son jardin. Il a passé une heure et demie à pourchasser un papillon qui tournait autour des azalées de sa maîtresse. Quand le papillon s'est éloigné, Mitaine s'est concentré sur quelque chose qui sautait près du perron. Le temps que je me rapproche pour voir ce que c'était, la chose avait disparu d'un bond.

Mitaine profitant du beau temps.

Je me suis moi-même nommé rédacteur en chef afin de contrôler ce qu'on allait publier. Parce que si je laissais faire Robert, notre journal ressemblerait à un album de coloriage pour fillettes.

Pour payer l'imprimeur, ma mère m'a conseillé de vendre des espaces de pub à des commerçants de la ville. Le seul qui s'est montré intéressé a été le Tony de la pizzeria Chez Papa Tony, et je suis pratiquement sûr que s'il a accepté de nous aider, c'est seulement parce qu'on y va au moins deux fois par semaine et qu'il ne veut pas perdre notre clientèle.

Tony nous a juste donné de quoi acheter des cartouches d'encre couleurs, et on a imprimé une centaine d'exemplaires.

<u>Lundi</u>

Hier, on a fait du porte-à-porte pour essayer de vendre notre journal, mais personne n'a voulu l'acheter et on a dû le distribuer gratuitement.

On en a donné un à Tony, qui n'a pas été ravi de voir sa pub à côté d'une mauvaise critique de sa pizzeria.

La pizzeria *Chez Papa Tony* dégringole !

par le critique gastronomique
GREG HEFFLEY

Vous avez remarqué que Papa Tony file un mauvais coton ces derniers temps ? Ça a commencé quand ils ont remplacé la pizza au poulet grillé par une pizza aux épinards.
Ensuite, ils ont arrêté de vendre du soda au raisin alors que c'était le seul resto de la ville où on pouvait en trouver. Maintenant, je dois me contenter de limonade, mais ce n'est pas pareil.

Et pour les diabolos, la plupart du temps, la limonade ne se mélange pas bien au sirop, et je crois que c'est fait exprès pour qu'on prenne plutôt une boisson en canette qui coûte deux fois plus cher.
Ma dernière critique portera sur les serviettes. Avant, on pouvait en avoir à volonté, mais maintenant on ne doit pas dépasser deux par personne, et quand on en prend plus, on a droit à un regard assassin.

Chez Papa Tony

Une pizza achetée, une pizza offerte

Commandez n'importe quelle pizza
et vous en aurez une deuxième gratuite !

Sur présentation de cette publicité
1 dollar de remise sur votre commande

OFFRE VALABLE JUSQU'AU
31 DÉCEMBRE

Je lui ai promis que s'il achetait un espace publicitaire PLUS GRAND dans la prochaine édition du journal, on pourrait récrire une critique plus positive.

Comme il nous restait encore quelques dizaines d'exemplaires et qu'on les donnait gratuitement, j'ai pensé qu'on pourrait faire ça au collège.

Mais je commençais tout juste à les distribuer quand
M. Roy, l'adjoint du principal, m'a demandé ce que
je faisais.

Il a dit que je n'avais pas le droit de faire circuler
une publication sans autorisation dans l'enceinte
de l'établissement et qu'il devait confisquer
mes exemplaires. Mais je sais bien ce qu'il y a
DERRIÈRE tout ça. En réalité, M. Roy a la trouille
que notre kermesse ne pique toute la clientèle du collège.

J'étais encore pas mal énervé quand je suis rentré
à la maison, et je me suis dit que je n'allais pas laisser
l'adjoint du principal nous arrêter.

Même s'il avait confisqué notre journal, on pouvait
encore faire des affichettes et en mettre
un peu partout.

Ma mère garde du papier affiche et des marqueurs
dans la buanderie, pour des travaux scolaires,
alors je me suis mis au travail. J'ai pris des feuilles vert
fluo, pour être sûr qu'on les verrait à des kilomètres.

J'ai terminé les affiches après dîner, et j'ai appelé
Robert pour lui demander de m'aider à les coller.
On a commencé par le collège, pour que les parents
les voient en déposant leurs enfants le matin.

Mais il s'est mis à pleuvoir pendant qu'on les collait, et les inscriptions ont commencé à couler. Bientôt, on ne pourrait plus lire grand-chose.

Du coup, on les a retirées, et on a eu un sacré choc. Avec la pluie, la couleur du papier avait dégorgé aussi, et il y avait maintenant d'énormes taches vert fluo sur le mur de brique.

On a bien essayé de faire partir le vert sur le mur,
mais on aurait dit que c'était de l'encre indélébile.

On ne pouvait pas laisser ces grosses taches vertes
partout, alors j'ai essayé de trouver une solution.
Mais, juste à ce moment, quelqu'un dans la rue nous
a interpellés.

On a paniqué, Robert et moi, et on s'est mis à courir.
On a traversé le parking et pris un raccourci à travers
bois. On a couru jusqu'à ce qu'on soit sûrs d'avoir semé
notre poursuivant.

On n'aurait pas dû s'enfuir. Si on était restés
pour s'expliquer, ça aurait sûrement mieux valu. Je ne sais
pas si celui qui nous a appelés était un parent d'élève,
un policier ou QUOI, mais j'espère simplement qu'il ne
nous a pas reconnus. Parce que, sinon, on pourrait avoir
de GRAVES problèmes.

Mardi
Quand je me suis réveillé, ce matin, je me suis dit
que tout ce qui s'était passé hier soir ne devait être
qu'un mauvais rêve. Et puis j'ai vu le journal sur la table
de la cuisine.

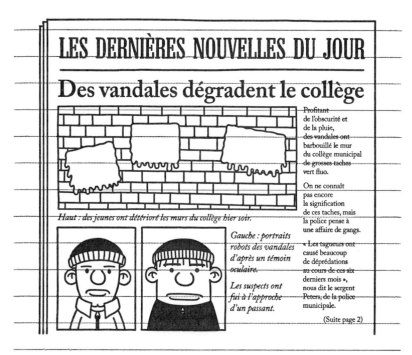

LES DERNIÈRES NOUVELLES DU JOUR

Des vandales dégradent le collège

Profitant de l'obscurité et de la pluie, des vandales ont barbouillé le mur du collège municipal de grosses taches vert fluo.

On ne connaît pas encore la signification de ces taches, mais la police pense à une affaire de gangs.

« Les tagueurs ont causé beaucoup de déprédations au cours de ces six derniers mois », nous dit le sergent Peters, de la police municipale.

(Suite page 2)

Haut : des jeunes ont détérioré les murs du collège hier soir.

Gauche : portraits robots des vandales d'après un témoin oculaire.

Les suspects ont fui à l'approche d'un passant.

Voilà, maintenant, je suis pratiquement un délinquant. Vous n'allez pas le croire, mais ce n'est pas la PREMIÈRE fois que je suis injustement accusé d'un crime.

Quand j'étais scout, je devais faire une bonne action pour gagner mon insigne du mérite. Ma mère m'a suggéré d'aller voir à la Résidence des Loisirs s'il n'y avait pas des personnes âgées qui auraient besoin qu'on leur porte leurs courses ou ce genre de choses, et elle a obligé Rodrick à m'emmener.

Quand on est arrivés dans le parking de la Résidence des Loisirs, il y avait une dame qui avait l'air un peu perdue.

On a demandé à la dame si elle avait besoin d'aide, et elle a répondu qu'elle se rendait au supermarché, de l'autre côté de la route. Mais je savais bien, moi, que le supermarché le plus proche était à près de 8 kilomètres dans la direction opposée, alors on lui a proposé de l'accompagner.

La seule condition était qu'elle devait monter à l'arrière puisque j'occupais déjà le siège passager.

On a déposé la vieille dame devant le supermarché, et puis on est rentrés. J'avais hâte de raconter ma bonne action à ma mère: on avait conduit une vieille

dame au supermarché, à des kilomètres de la Résidence des Loisirs, ce qui lui avait épargné plein de marche.
Mais ma mère a dit qu'il y avait un tout nouveau supermarché à 100 mètres de la Résidence des Loisirs et que c'était sûrement LÀ qu'allait la vieille dame.
Ce qui signifiait qu'on l'avait déposée à 8 kilomètres de l'endroit où elle voulait aller, et qu'elle ne pouvait plus rentrer chez elle.

Ma mère nous a obligés à reprendre la camionnette pour tenter de retrouver la vieille dame. Au supermarché, la caissière nous a dit qu'elle avait déjà fini ses courses et qu'elle était partie.

On a fini par la trouver, qui marchait sur le bas-côté de la nationale, avec ses commissions.
On a proposé de la ramener à la résidence, mais, cette fois, elle a refusé de monter dans la camionnette.

Après, j'imagine qu'elle a appelé la télé locale dès qu'elle est rentrée chez elle, parce que, le soir même, on était aux infos.

Mais l'histoire du vandalisme au collège paraît BEAUCOUP plus grave. Heureusement, les portraits robots publiés dans le journal n'étaient pas très ressemblants, et je me suis dit que ça irait. Mais, quand je suis arrivé au collège, tout le monde ne parlait que des fameuses taches vertes.

Il y a eu rassemblement général en troisième heure pour nous parler des prétendus graffitis. L'adjoint du principal a déclaré qu'on avait bombé la façade du collège, et qu'il était certain que les coupables étaient des élèves de chez nous.

Il a ajouté que quelqu'un parmi nous savait qui avait fait ça et que c'était terrible d'avoir un tel poids sur la conscience. Puis il a annoncé qu'il allait mettre une boîte fermée à la cantine pour qu'on puisse y glisser des infos anonymes.

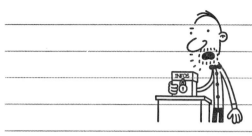

Au déjeuner, j'ai bien vu que Robert flippait un max, et je lui ai rappelé que toute cette histoire de vandalisme était du pipeau et qu'en réalité, on n'avait rien fait de mal. Mais il a protesté que s'il avait un casier, il ne pourrait plus aller à l'université ni trouver de travail et que toute sa vie serait fichue. Il m'a fallu un moment pour le convaincre de garder son calme et d'attendre que tout ça se dissipe.

Après la cantine, la POLICE a débarqué au collège, et M. Roy, l'adjoint du principal, a convoqué des élèves dans son bureau, un par un. J'ai d'abord eu peur que quelqu'un nous ait identifiés, et puis je me suis rendu compte que M. Roy ne faisait venir que les élèves connus pour faire du chahut.

J'ai compris alors qu'ils n'avaient pas de preuve,
et j'ai commencé à me détendre.

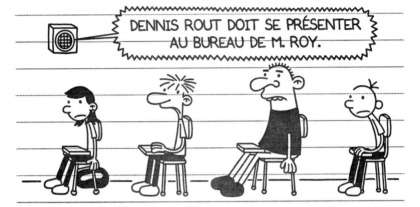

DENNIS ROUT DOIT SE PRÉSENTER
AU BUREAU DE M. ROY.

À la récré, Mark Ramon nous a tout raconté.
Les policiers avaient un appareil qu'ils ont prétendu être
un détecteur de mensonges. Ils ont assuré que c'était
infaillible et que ce n'était pas la peine de raconter
des bobards.

D'après Mark, le « détecteur de mensonges » n'était
qu'une photocopieuse. Et à chaque fois que Mark disait
quelque chose qui ne plaisait pas aux policiers, le sergent
Peters appuyait sur la touche Copie et faisait apparaître
une feuille de papier.

> **Il ment.**

J'imagine que la police a fini par abandonner, parce que après le déjeuner, M. Roy a cessé de faire venir des élèves dans son bureau. J'ai l'impression qu'on est enfin tranquilles.

Mercredi

En arrivant au collège, je croyais que l'incident des taches vertes était complètement clos. J'ai donc été assez surpris d'entendre appeler MON nom dans les haut-parleurs, en début de cours.

GREG HEFFLEY DOIT SE PRÉSENTER IMMÉDIATEMENT AU BUREAU DE M. ROY.

Je suis entré dans le bureau du principal adjoint et il m'a prié de m'asseoir. Il savait que j'étais l'un des « coupables » responsables des grandes taches vertes et m'a demandé si j'avais quelque chose à dire pour ma défense.

J'ai cherché le détecteur de mensonges, mais je ne l'ai pas vu, et je me suis dit que le mieux était sans doute de garder le silence ou de réclamer un avocat. Et puis M. Roy a sorti une feuille de papier de la boîte à infos anonymes et me l'a montrée.

C'est Greg Heffley et moi qui avons vandalisé le collège.

Tout s'est soudain éclairé.

Robert avait avoué, mais il avait gardé l'anonymat.
Je ne sais pas s'il l'a fait exprès ou si c'est juste
une parfaite andouille, mais j'ai tendance à opter
pour la deuxième solution.

Je ne voyais plus l'intérêt de continuer à faire l'imbécile,
alors j'ai raconté toute l'histoire au directeur adjoint.
Je lui ai parlé des panneaux qu'on voulait coller,
de la pluie qui avait fait dégorger le vert fluo
et du fait qu'on avait paniqué et qu'on s'était enfuis.

Le principal adjoint a réfléchi un moment, et puis il a
dit que j'aurais dû venir lui expliquer ça tout de suite.
Il était obligé de me donner une punition pour s'assurer
que j'avais compris la leçon. Donc, après les cours,
je devrais frotter les taches avec de l'eau de Javel.

Et puis il m'a laissé le choix.

Il a dit que je pouvais dénoncer mon « co-conspirateur »
ou que j'avais le droit de subir toute la punition tout seul.

Laissez-moi vous dire que ça n'a pas été facile. Robert
avait écrit mon nom sur ce bout de papier, et je mourais
d'envie de le lui faire payer. Mais je ne voyais quand
même pas l'intérêt de nous mettre tous les deux
dans le pétrin alors que c'était moi qui l'avais entraîné
dans cette galère.

J'ai donc décidé que, pour cette fois, j'allais me sacrifier.

Et si jamais Robert entre un jour dans une bonne
université ou décroche un boulot de rêve, j'espère
qu'il pensera à me remercier.

Jeudi

Hier, j'ai mis deux heures à faire disparaître les taches,
et j'ai dû frotter comme un malade. J'ai bien tenté
de convaincre M. Roy de me donner des tampons
en laine d'acier pour accélérer les choses, mais il m'a
répondu d'en rester à l'eau de Javel.

Je suis rentré chez moi à 17 heures, et j'ai trouvé
un mot sur la porte. Quand je l'ai lu, j'ai failli m'évanouir.

Police municipale

Nous sommes passés
mais il n'y avait
personne. Nous
reviendrons plus
tard.
Sergent Peters

Je n'arrivais pas à CROIRE que le principal adjoint
m'avait livré à la police. Je pensais que ça resterait
entre nous et qu'une fois que j'aurais purgé ma peine,
on pourrait tourner la page.

Tout ce que je sais, c'est que je ne peux pas aller en taule. Cette année, on a fait une sortie « prévention » à la prison du coin. Des prisonniers nous ont parlé de leur vie en cellule, et ça a fichu la trouille à tout le monde.

Ce n'est pas tellement l'idée d'être enfermé qui m'a fait flipper. C'est de savoir que les toilettes des cellules ne sont même pas isolées.

J'ai vraiment DU MAL avec tout ce qui touche
à l'intimité. C'est déjà dur au collège, quand on revient
des toilettes et que tout le monde veut connaître
les détails.

Jusqu'à présent, je n'avais jamais enfreint la loi,
mais, quand j'étais petit, j'ai CRU que je l'avais fait.
Au supermarché, il y avait un stand qui s'appelait
le « Club des petits choux » où on donnait
une pâtisserie à tous les enfants de moins de huit ans.
J'avais une carte de membre et tout et tout.

Mais voilà, j'ai continué à m'en servir APRÈS mes huit ans, et, à chaque fois, je croyais que j'allais me faire pincer. Jusqu'au jour où une alarme s'est déclenchée PILE quand je croquais dans un petit gâteau avec un glaçage rose et des vermicelles de couleur.

Avec le recul, je suis à peu près sûr que c'était quelqu'un qui avait déclenché l'alarme accidentellement, mais, sur le moment, j'ai vraiment cru que c'était pour moi et que les flics allaient venir m'embarquer.

Alors je me suis enfui. Heureusement, ma mère m'a rattrapé un peu plus loin, parce que, dans ma tête, j'étais un fugitif, et ma vie de délinquant avait déjà commencé.

Mais cette histoire de vandalisme était beaucoup
plus sérieuse que celle du « Club des petits choux »,
et quand ma mère est rentrée avec Manu, je ne lui ai
pas parlé du mot.

Je m'inquiétais surtout de la réaction de mon PÈRE,
vu que je ne suis pas trop dans ses petits papiers
en ce moment. On a eu un malentendu, ce matin,
et je suis sûr qu'il m'en veut encore.

Je dormais quand j'ai entendu frapper à la porte
d'entrée, et j'ai eu la flemme de me lever pour
aller ouvrir.

J'espérais que la personne finirait par s'en aller
et reviendrait plus tard.

Mais on a cogné de plus en plus fort. Ce type à
la porte devait être un vrai maniaque. Alors j'ai mis
la tête sous les couvertures en priant pour que
la porte résiste.

J'ai pensé appeler la police, et puis je me suis souvenu
que j'étais recherché et que je devrais me débrouiller
tout seul.

J'ai fini par trouver le courage de descendre
et d'aller prendre une batte de base-ball au garage
pour me défendre.

Soudain, tout s'est calmé. J'ai écarté le rideau pour voir
si le maniaque était encore là. Mais j'ai eu la surprise
de voir mon PÈRE devant la porte.

Il avait coincé sa cravate dans la porte et laissé
ses clés à l'intérieur. Il voulait juste que j'ouvre
pour le décoincer.

Je suis certain qu'il serait ravi de m'envoyer dans un centre de détention pour mineurs. En fait, s'il est à la maison quand les flics viendront, il me livrera sans broncher.

Il s'avère que je n'ai pas à m'en faire du côté de mon père — du moins pas pendant les vingt-quatre heures qui viennent. Il s'est mis à neiger vraiment fort, ce soir, et papa a appelé pour dire que c'était trop dangereux de prendre la route et qu'il dormirait à l'hôtel à côté de son bureau.

Ça veut dire que j'ai jusqu'à demain pour trouver un plan.

<u>Vendredi</u>

On dirait que je vais avoir plus de temps que prévu.
Il a neigé toute la nuit et, quand je me suis réveillé
ce matin, il y avait un bon mètre de neige dehors.
Le collège est carrément fermé.

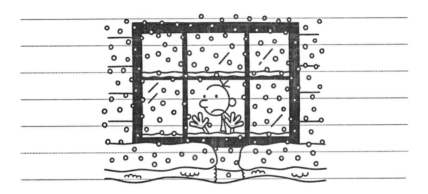

On serait apparemment au milieu d'un BLIZZARD.
Robert a appelé hier soir pour me prévenir qu'il allait
tomber une tonne de neige, mais je ne l'ai pas cru.

Chaque année, à la même époque, Robert appelle pour
m'annoncer l'arrivée d'une terrible tempête de neige,
et il se plante toujours. Il y a quelques années,
sa famille a enregistré un programme de Noël alors
qu'une alerte « tempête » défilait en bas de l'écran.

L'alerte est donc restée sur l'enregistrement.

VIGILANCE MÉTÉO : FORT BLIZZARD ATTENDU

À chaque fois que Robert regarde cette émission
de Noël, il m'appelle pour m'avertir de l'arrivée
de la tempête. Avant, je me laissais avoir,
mais j'ai arrêté d'y croire le jour où il m'a téléphoné,
complètement paniqué, en regardant l'enregistrement
pendant les vacances d'été.

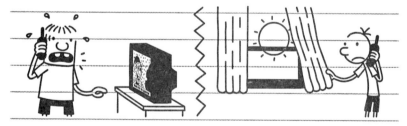

Cette fois, on dirait bien qu'on est coincés par la neige.
En temps normal, je serais ravi de rester enfermé
à la maison parce que ça me donnerait une excuse
pour jouer à Kréaturs du Net toute la journée.

Mais, grâce à Manu, mon compte est bloqué.

Il y a quelques jours, ma mère a trouvé que ce serait bien d'apprendre à Manu à se servir d'un ordinateur, et elle l'a laissé jouer sur mon compte de Kréaturs du Net pendant que j'étais en cours. Quand je suis rentré, Manu avait converti tout ce que j'avais gagné dans le jeu en jetons qu'il avait ensuite dilapidés au Kasino des Kréaturs.

Le pire, c'est que Manu s'est débrouillé pour changer mon MOT DE PASSE. Du coup, je ne peux même plus jouer pour regagner ce que j'ai perdu. Ça fait plusieurs jours que je reçois des mails de Kréaturs du Net pour me dire que je dois de toute urgence retourner sur le site, mais je ne peux rien y faire.

Si je ne trouve pas très vite une solution, mon chihuahua ne va pas s'en tirer.

À : Heffley, Gregory
DE : Kréaturs du Net
OBJET : SOS !

Cher Gregory
LE PETIT COPAIN
DE GREGORY est triste
sans toi !

Achète de nouveaux
jetons pour ton animal
virtuel avant qu'il
ne soit trop tard !

Et ce n'est pas le seul mot de passe que Manu a modifié. Il a découvert comment trafiquer les réglages de la télé, et il a changé les paramètres du « contrôle parental ».

Cette fonction est censée permettre aux parents de contrôler ce que regardent leurs enfants. Mais Manu a changé les réglages pour qu'on ne puisse plus regarder que SES émissions préférées. Et on a beau lui promettre des tas de trucs, il refuse de nous donner le mot de passe.

Je peux encore jouer aux jeux vidéo sur la télé.
Mais ma mère vient d'acheter un programme de gym,
et maintenant elle squatte ma console au moins
une heure par jour.

Quand il a commencé à faire froid, maman a dit
que toute la famille devait se mettre à son jeu pour
qu'on reste actifs tout l'hiver. J'ai essayé,
mais ça ne me plaît pas trop de transpirer
quand je joue devant un écran.

Le problème, c'est que le jeu enregistre vos performances de la journée et que ma mère me prenait la tête si je n'avais pas joué. Et puis j'ai trouvé comment utiliser la commande de jeu à la place de mon corps et, au bout de quelques jours, j'avais atteint des super scores.

Dès qu'elle a vu mes scores, ma mère n'a plus pensé qu'à les battre. J'ai bien envisagé d'avouer que j'avais triché, mais elle a déjà perdu 2 kilos en essayant d'arriver en tête. Alors je crois que je lui rends service en la fermant.

Ma mère dit toujours que je devrais passer moins de temps sur le canapé et plus à faire de l'exercice. De mon côté, je considère simplement que je garde mon énergie pour plus tard. Quand tous mes potes auront quatre-vingts ans avec des corps tout cassés, moi, je commencerai juste à m'y mettre.

Ce matin, maman a voulu mettre la météo pour voir quand ce blizzard allait s'arrêter. Mais comme Manu refusait toujours de donner le code d'accès parental, elle a allumé la radio dans la cuisine.

Le présentateur a annoncé qu'il allait encore tomber 50 centimètres de neige d'ici demain. Cette tempête risque donc de nous faire battre des records de chutes dans la région.

D'un côté, j'étais plutôt content parce que ça
me donnait du temps pour essayer de régler ma situation
de délinquant. Mais je commençais aussi à flipper.
La neige arrivait au niveau de la boîte aux lettres
et n'avait pas l'air de vouloir s'arrêter.

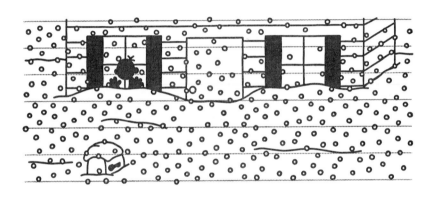

Pourtant, ma mère restait assez cool. Elle a dit
que c'était l'occasion de prendre son temps
et de décompresser. Elle m'a demandé d'aller
chercher un puzzle dans la réserve.

Mais il n'était pas QUESTION que j'aille chercher
un puzzle là-bas. J'ai carrément la phobie des puzzles
depuis la dernière fois que j'en ai pris un au sous-sol :
quand j'ai ouvert la boîte, elle était pleine
de CRIQUETS qui avaient fait leur nid dedans.

Après déjeuner, maman a déclaré que même si
on ne pouvait pas aller en cours, elle ne voulait pas
qu'on prenne de retard. Elle a ajouté qu'il y a deux
siècles, tous les enfants se retrouvaient dans une même
classe, et qu'on allait faire la même chose à la maison.

Mais à l'époque, si je m'étais retrouvé en classe
avec un gosse de l'âge de Manu, j'aurais pété les plombs.

Samedi

Hier soir, maman a remonté des trucs de la cave
pour nous occuper. Elle a retrouvé une boîte
de magie qu'on m'avait donnée pour mes six ans,
et tout le matériel y était encore.

Je n'avais jamais vraiment joué avec parce qu'à six ans,
je n'arrivais pas à lire les instructions. Mais maintenant,
si, alors j'ai essayé quelques tours.

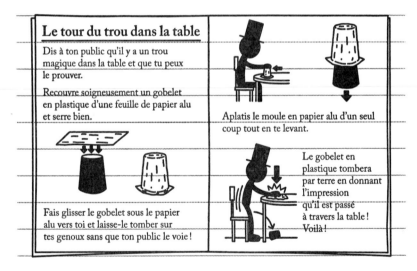

Le tour du trou dans la table

Dis à ton public qu'il y a un trou
magique dans la table et que tu peux
le prouver.

Recouvre soigneusement un gobelet
en plastique d'une feuille de papier alu
et serre bien.

Aplatis le moule en papier alu d'un seul
coup tout en te levant.

Fais glisser le gobelet sous le papier
alu vers toi et laisse-le tomber sur
tes genoux sans que ton public le voie !

Le gobelet en
plastique tombera
par terre en donnant
l'impression
qu'il est passé
à travers la table !
Voilà !

Le premier tour a bien fonctionné, et Manu a vraiment
cru qu'il y avait un trou magique dans la table.

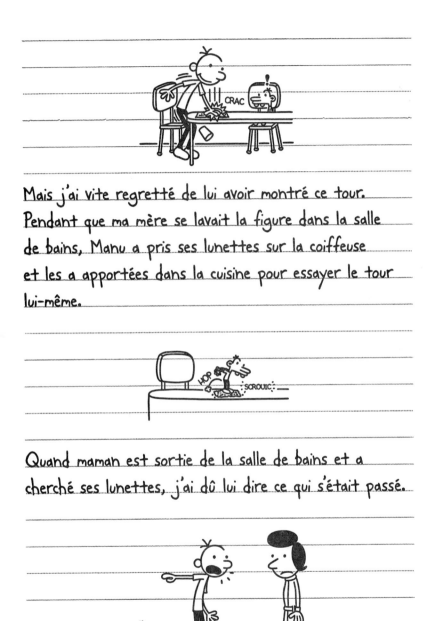

Mais j'ai vite regretté de lui avoir montré ce tour.
Pendant que ma mère se lavait la figure dans la salle
de bains, Manu a pris ses lunettes sur la coiffeuse
et les a apportées dans la cuisine pour essayer le tour
lui-même.

Quand maman est sortie de la salle de bains et a
cherché ses lunettes, j'ai dû lui dire ce qui s'était passé.

Comme ma mère est pratiquement AVEUGLE
sans ses lunettes, elle a dit que Rodrick et moi,
on devrait l'aider avec Manu jusqu'à ce que papa rentre
et qu'elle puisse retrouver de nouveaux verres. Rodrick a
dit qu'il avait un devoir urgent à faire et il s'est réfugié
au sous-sol en me laissant me débrouiller avec Manu.

Il a fallu que je lui brosse les dents et que j'attache
ses lacets. Ensuite, j'ai dû lui faire son petit-déjeuner.
J'ai versé du lait dans son bol, puis ses céréales
préférées par-dessus.

Mais Manu n'était pas content que j'aie versé le lait
d'abord, et il a piqué une crise. Il voulait un autre bol
de céréales puisque je ne l'avais soi-disant pas fait
dans le bon ordre.

Je ne voyais pas pourquoi j'aurais gaspillé un bol
de céréales impeccables, alors j'ai refusé.

Maman a demandé ce qui se passait. J'ai expliqué que Manu faisait un caprice. Je pensais qu'elle allait me soutenir et forcer Manu à manger ses céréales comme ça, mais ma mère a dit qu'elle ne pourrait pas non plus les manger avec le lait versé en premier.

Dans le temps, vous savez, on respectait les adultes parce qu'ils étaient sages, et on allait les voir pour qu'ils règlent les conflits.

Eh bien, aujourd'hui, c'est tout à fait différent,
et je me demande souvent si on devrait laisser faire
les adultes.

Maman est montée prendre une douche, et, quand elle
a eu terminé, elle a crié qu'il n'y avait pas de serviette
dans la salle de bains. J'en ai donc pris une dans
le placard, mais ça n'a pas été évident de la lui passer
étant donné qu'elle ne voyait rien et que je fermais
les yeux aussi fort que je pouvais.

Plus tard dans la matinée, Manu a eu besoin d'aller
aux toilettes, et maman a décrété que je devais
l'accompagner pour « le distraire ». Mais là, j'ai dit
stop, parce que je savais ce qu'elle avait en tête. Avant,
elle lui lisait des histoires quand il allait sur le pot,
mais ça a carrément dégénéré.

Quand Manu est sorti des toilettes, j'ai dû lui préparer
à déjeuner. Maman a dit qu'il aimait les hot dogs, alors
j'en ai pris un au frigo et je l'ai passé au micro-ondes.

Et puis elle a ajouté que Manu était très exigeant
sur la façon dont on devait mettre la moutarde :
il fallait faire un trait parfaitement droit et centré
sur la saucisse. Comme je ne voulais pas que le drame
de ce matin se répète, j'ai essayé de tracer une ligne
de moutarde aussi droite que possible.

J'étais sûr d'y être arrivé.

Pourtant, Manu a piqué une nouvelle crise. J'ai cru que
la ligne n'était pas assez droite, alors j'ai pris
une serviette en papier et j'ai essuyé la moutarde pour
recommencer. Mais il a cru que j'avais sali son hot dog,
et j'ai dû en faire chauffer un autre.

Cette fois, j'ai redoublé d'attention avec la moutarde,
mais quand j'ai montré le résultat à Manu, il m'a refait
la même comédie.

Maman m'a demandé de lui décrire comment j'avais
procédé, et je lui ai expliqué que j'avais tracé une ligne
de moutarde bien droite sur toute la longueur
de la saucisse.

Alors elle a précisé que Manu voulait sa ligne
de moutarde dans le sens de la LARGEUR,
et en effet il s'est calmé dès que je l'ai fait.

Vous voyez le genre de stupidités dont je dois m'occuper ?
J'ai vu plein de films où un type de mon âge découvre
qu'il a des pouvoirs magiques et est invité à aller
poursuivre sa formation dans une école spéciale. Eh bien,
si jamais je devais recevoir une invitation, le moment
IDÉAL, ce serait maintenant.

<u>Dimanche</u>

Ce matin, à 10 heures, ma mère m'a demandé
de descendre réveiller Rodrick. Mais quand je suis arrivé
en bas, ça n'allait pas du tout.

<u>Il</u> y avait au moins 30 centimètres de flotte
par terre. J'imagine que toute cette neige avait fini
par saturer le sol et s'infiltrait dans la cave.

J'ai appelé ma mère vite fait, et quand elle a constaté
le désastre, ça l'a DÉMORALISÉE que certains trucs
soient fichus. Mais, pour être franc, je ne suis pas
mécontent que certaines choses soient perdues à tout
JAMAIS.

Maman garde une « boîte souvenirs » pour chacun de nous, et la mienne se trouvait sur l'étagère du bas, ce qui fait qu'elle était quasiment submergée. Elle contenait, entre autres, mon calendrier de pipis au lit de quand j'avais huit ans.

Permettez-moi de dire pour ma défense que j'avais à cette époque une très bonne raison de mouiller mon lit. Je buvais beaucoup d'eau le soir, avant d'aller me coucher, et je faisais plein de rêves dingues qui me donnaient envie d'aller aux toilettes.

J'ai fini par comprendre d'où venait le problème, mais pas avant d'avoir cinq bonshommes pas contents de suite.

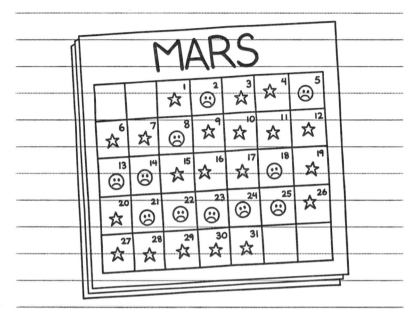

Certains trombinoscopes de classe de mon école primaire étaient trempés, mais ça ne me dérangeait pas trop non plus.

Celui de CM2 se trouvait dans ma boîte souvenirs, et, cette année-là, on avait eu le droit de choisir l'arrière-plan de notre photo.

J'ai été le seul de toute l'école à choisir le « décor naturel ».

| Haverly | Lalande | Heffley | Henry |
| Jordan | Olivia | Gregory | Jared |

Je me doutais bien que j'aurais dû choisir un fond normal, mais c'est ma mère qui m'a poussé à le faire, au moment de remplir le formulaire.

PRENDS CELUI-CI, ÇA TE DONNERA L'AIR SAUVAGE !

Je ne comprends pas pourquoi cette inondation a autant désespéré ma mère. La plupart des trucs bousillés se trouvaient à la cave pour la simple et bonne raison qu'on ne s'en servait JAMAIS. Elle regrette particulièrement un « manège à cuillers » que mamie nous a donné il y a cinq ou six ans.

Je crois que le but était de collectionner des cuillers
du monde entier, mais on n'est jamais allés plus loin que
le Canada.

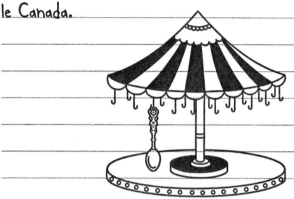

Je me suis quand même senti désolé pour elle quand
elle a trouvé un de ses albums de famille dans
un sale état. Il y a quelques années elle s'était mise
au scrapbooking et avait passé plein de temps
à découper des photos pour faire des pages
super décorées.

Il y a pourtant une page que je déteste,
dans cet album, à cause des vannes continuelles
de Rodrick. C'est celle où je craque avant une balade
en poney, à la foire régionale.

Gregory n'apprécie
pas sa première
balade en poney

Rodrick dit toujours que j'avais peur du poney,
mais c'est complètement faux. J'avais peur du type qui
TENAIT le poney, seulement maman l'a coupé
dans l'album.

En parlant de Rodrick, l'inondation n'a pas eu l'air de beaucoup le déranger. En fait, je parie que si je ne l'avais pas réveillé, l'eau aurait pu monter jusqu'en haut de l'escalier et emporter son lit dehors sans qu'il s'en aperçoive.

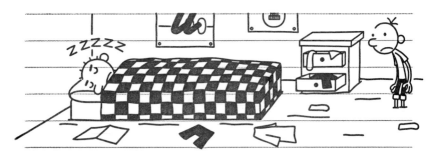

Le reste de la journée a été affreux. L'eau n'arrêtait pas de monter, et on a dû faire une chaîne pour écoper avec les seaux de plage de Manu.

Papa a appelé de sa chambre d'hôtel pour savoir comment on allait, et maman lui a raconté ce qui s'était passé. Il a dit qu'il regrettait vraiment de ne pas être là pour nous aider, mais quelque chose me dit qu'il n'était pas si désolé que ça.

J'ADORERAIS échanger ma place contre celle de mon père : il doit avoir une chambre nickel et un lit immense pour lui tout seul.

Maman a décrété que puisque le sous-sol était inondé, Rodrick dormirait dans MA chambre. Elle a dit aussi que ce serait une bonne chose pour nous deux d'apprendre à vivre en coloc, vu que ce serait sûrement comme ça à la fac.

Rodrick et moi, on a déjà dormi tout un week-end dans la même chambre. On a dû rester chez Grand-mère pendant que les parents emmenaient Manu dans un parc d'attractions. Comme il y a une chambre d'amis, je pensais que l'un de nous deux prendrait le canapé du salon, et l'autre le lit d'amis.

Mais elle a dit que la chambre d'amis était « prise » et qu'on ne pouvait pas y dormir. C'est devenu la chambre de Chouchou, le chien qu'on lui a donné. Mais on a du mal à le reconnaître, parce que Grand-mère le nourrit tellement qu'on dirait une tique prête à exploser.

Grand-mère a dit qu'on n'aurait qu'à dormir tous les deux sur le canapé-lit du salon.

Mais ce canapé est recouvert de plastique parce
qu'elle a toujours peur qu'on renverse des trucs dessus.

On a donc passé tout le week-end à dormir sur
un canapé-lit étroit. Je me réveillais le matin dans
une mare de sueur, et je ne sais toujours pas si c'était
la mienne ou celle de Rodrick.

Je suis à peu près sûr qu'en prison, on a des lits
superposés. Donc, si on m'enferme, je dormirai mieux
que chez ma grand-mère l'été dernier.

Lundi

Après douze heures passées dans la même chambre
que Rodrick, je pense à aller me rendre moi-même
à la police. De toute façon, il n'y aura pas de châtiment
pire que ce que je vis à la maison.

Hier soir, Rodrick a remonté des affaires de sa chambre
pour les mettre dans la mienne. C'est censé être
une situation temporaire, mais il fait comme s'il s'installait
pour toujours.

Rodrick a posé sa batterie sur des piles de livres pour
la faire sécher, et il a mis son linge sale PARTOUT.

Ce matin, quand je me suis habillé, j'ai enfilé le caleçon posé sur ma commode. Le temps que je m'aperçoive qu'il était à Rodrick et qu'il était sale, c'était trop tard.

Du coup, en attendant que ma mère lance une machine à laver, j'ai mis mon costume de Halloween. Ce n'était pas très confortable, mais au moins je savais que c'était PROPRE.

Cet après-midi, on est redescendus à la cave pour voir si on pouvait encore sauver des affaires du désastre.

J'ai remarqué un truc bizarre qui flottait
dans la réserve. Je l'ai repêché, et j'ai failli m'évanouir.

J'ai d'abord cru que c'était un VRAI bébé,
et puis je me suis rendu compte que c'était Alfredo,
mon poupon disparu.

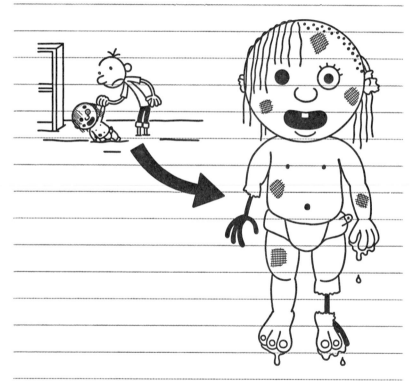

Après tout ce temps, Alfredo n'avait pas très bonne
mine. Une souris avait dû s'en prendre à lui,
et une journée dans l'eau n'avait pas arrangé les choses.

C'est dingue, mais j'étais quand même content de l'avoir retrouvé. Pendant toutes ces années, j'avais vécu avec la culpabilité de l'avoir perdu et voilà que je découvrais qu'il n'avait pas quitté la maison.

D'ailleurs, je n'arrivais pas à m'expliquer comment il avait pu atterrir dans la réserve. Et puis j'ai compris que ce ne pouvait être que mon PÈRE. Il n'avait jamais été très fan de cette idée de poupon et il s'est débarrassé d'Alfredo dès que j'ai eu le dos tourné.

Je parlerai à papa de l'enlèvement de ma poupée dès qu'il rentrera, mais pour le moment j'ai d'autres chats à fouetter. Du genre, trouver ce que je vais MANGER.

Nos provisions diminuent de jour en jour, et si
cette neige ne fond pas rapido, je ne sais pas
ce qu'on va faire.

Maman était censée faire les courses le jour
où le blizzard nous est tombé dessus, ce qui fait
qu'on a moins de réserves que d'habitude. On va donc
devoir se « rationner » jusqu'à ce qu'elle puisse ressortir.

Mais ça pourrait prendre un moment. Il y a plus
d'un mètre de neige contre la porte d'entrée. On est
faits comme des rats.

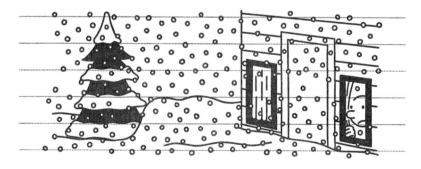

Et Rodrick bousille le peu de nourriture qui nous reste.
Il boit le lait direct au carton. Il n'est donc plus
question que j'y touche.

J'en veux d'autant plus à mon père, parce que, sans
lui, le lait ne serait pas un problème. Il y a plusieurs
années de ça, à la foire, j'ai remporté un concours
où il fallait deviner le poids d'un chevreau pour le gagner.
J'ai trouvé combien pesait le chevreau, mais papa n'a
jamais voulu que je l'emmène. Si on avait cette chèvre
aujourd'hui, je pourrais boire du lait à volonté.

Hier soir, maman a trouvé des burritos au fond du congélateur et les a préparés pour le dîner. Mais ils avaient un sale goût, et je n'ai pas voulu en manger. Elle a dit qu'il fallait que je mange QUELQUE CHOSE, alors j'ai pris du ketchup en plat principal.

Les burritos n'ont pas dérangé Manu, mais il est capable d'avaler n'importe quoi pourvu qu'il y ait son produit préféré dessus. Quand Chouchou vivait avec nous, il mordillait tous les meubles. Alors on les passait au vaporisateur « Bitter Apple », un truc super amer que les chiens ne supportent pas.

Allez savoir pourquoi, Manu ADORE le goût
du Bitter Apple, et il en met sur pratiquement
tout ce qu'il mange.

À propos de Chouchou, j'ai eu tellement faim aujourd'hui
que j'ai envisagé sérieusement de manger les biscuits pour
chien que j'ai trouvés au fond du placard.

Mais ma mère m'a expliqué que les normes de fabrication
ne sont pas les mêmes pour les humains et pour
les animaux, ce qui m'a stoppé net, du moins
pour l'instant.

Je n'arrive pas à croire que je suis pratiquement
en train de mourir de faim pendant que Chouchou
s'empiffre avec les petits plats faits maison
de Grand-mère.

Pourtant, je ne peux m'en prendre qu'à moi-même.
On avait toute une provision de boîtes de conserve
il y a encore quinze jours, mais j'ai presque tout donné
à la collecte alimentaire du collège. Je me suis débarrassé
de TOUT ce que je n'aimais pas, comme les épinards
et les salsifis.

Je parie que celui qui a reçu ce dont je ne voulais pas
se marre bien maintenant.

Je commençais à me demander si le dentifrice avait
la moindre valeur nutritionnelle quand je me suis rappelé
que j'avais quelque chose de comestible dans mon bureau.

Le jour où papa a refusé que je prenne le chevreau
à la foire, maman m'a acheté un bonbon géant pour
me consoler. J'ai passé des mois à attaquer ce machin.

J'imagine que si on n'a vraiment plus RIEN à avaler, ce bonbon m'aidera à survivre une bonne semaine de plus.

Ce soir, on a eu une panne d'électricité de quelques secondes. Maman a dit qu'il y avait beaucoup de glace sur les lignes électriques, et que le courant allait sûrement être coupé.

Elle a ajouté que si ça arrivait, il ne faudrait plus ouvrir le congélateur pour éviter que les produits ne décongèlent et ne soient fichus. Et elle a dit aussi qu'il fallait fermer toutes les portes de la maison pour garder au maximum la chaleur.

Manu a eu méga la trouille, et, à chaque fois qu'il flippe,
il se cache dans sa chambre. Une fois, quand il était
petit, je lui ai dit qu'une sorcière habitait dans la cave.
Il a eu tellement peur qu'il a disparu pendant plusieurs
heures. On a fini par le retrouver dans son tiroir
à chaussettes.

Maman avait raison pour le courant : un quart d'heure
après sa prédiction, il a été coupé et n'est pas revenu.
Elle a essayé d'appeler la compagnie d'électricité,
mais la batterie de son portable était à plat.
La température chutait de 2 ou 3 degrés par heure,
et on a pris une couverture pour se réchauffer.

GLAGLA   GLAGLA   GLAGLA

Manu n'a pas quitté sa chambre, il devait être complètement paniqué. Je dois avouer que moi-même, j'étais assez inquiet.

Quand on est habitué à avoir l'électricité et qu'on vous la retire d'un seul coup, on est à deux doigts de devenir une bête sauvage. Et comme on n'avait plus de téléphone ni de télévision, on était totalement coupés du monde extérieur.

Je me serais senti beaucoup plus tranquille si on avait dégagé notre rue car ça nous aurait au moins reliés à la civilisation. Mais je parie que le type du chasse-neige la fera en dernier, parce qu'à chaque fois qu'il vient par ici, il tombe dans une embuscade.

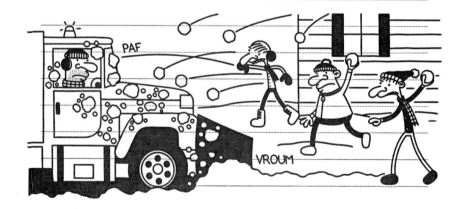

Comme ça ne servait à rien de rester debout, je suis allé me coucher, et Rodrick m'a suivi dans la chambre quelques minutes plus tard.

Il faisait un froid glacial, et je me suis souvenu d'avoir lu que deux types perdus dans le désert avaient dû partager un sac de couchage pour se tenir chaud.

J'ai regardé Rodrick en y réfléchissant une seconde, et puis j'ai décidé que ma dignité était plus importante que de rester en vie.

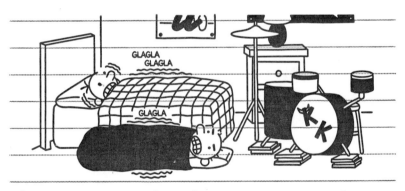

Tout ce que je peux dire, c'est que la prison est bien mieux que ÇA. Je suis certain qu'on vous assure une cellule chauffée et trois repas par jour. Alors quand les flics reviendront, croyez-moi, je les suivrai sans résister.

Mardi

Ce matin, au réveil, j'ai pris conscience que j'avais
d'une certaine façon reperdu Alfredo, mais ça ne
me dérange pas trop. J'étais vraiment content
de retrouver mon poupon hier, mais ce n'est pas évident
de reprendre les choses là où on les a laissées.

Ce matin j'ai remarqué qu'il neigeait beaucoup moins,
mais l'électricité n'était pas revenue. Ma mère a dit
qu'il allait falloir faire avec jusqu'à ce que la neige fonde.

Elle a ajouté que je n'avais pas pris de douche depuis
plusieurs jours et que je ne pouvais pas vivre comme
un « sauvage ». Je lui ai promis que je prendrai DEUX
bains par jour dès que l'électricité serait revenue,
mais elle m'a forcé à monter me laver quand même.

L'eau était glacée, et la seule serviette de la salle
de bains était celle que ma mère avait utilisée hier.
J'ai donc dû m'essuyer avec un peu de gaze que
j'ai trouvée dans le placard sous l'évier.

Une fois habillé, j'ai entendu des coups à la porte.
J'ai cru que c'était la police qui venait me chercher
et je me suis senti flageoler. Mais j'ai regardé
par la fenêtre et j'ai vu ROBERT devant la porte,
qui tenait quelque chose entre ses mains.

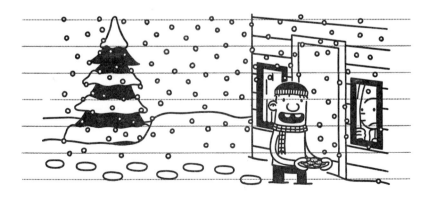

J'ai cru qu'il venait nous SAUVER. Mais quand je lui ai ouvert, il m'a dit qu'il nous apportait des biscuits de Noël et m'a demandé si je voulais venir jouer dehors. Je lui ai répondu qu'il était dingue, et j'ai voulu savoir comment ils s'en sortaient chez lui, sans électricité. Il a ouvert de grands yeux.

Robert m'a dit qu'il y avait toujours le courant chez lui et dans toute la rue. Et effectivement, toutes les guirlandes de Noël clignotaient devant les maisons.

GLAGLA
GLAGLA

Il m'a ensuite proposé de faire un bonhomme de neige. J'ai claqué la porte, mais seulement après avoir pris quelques biscuits.

J'ai dit à ma mère qu'il y avait du courant chez Robert, et elle m'a demandé de descendre à la cave vérifier s'il n'y avait pas un problème avec les fusibles.

J'ai ouvert le boîtier, et voilà ce que j'ai trouvé:

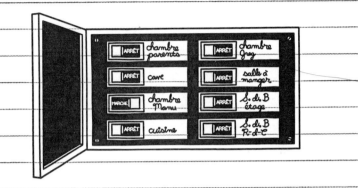

Le seul interrupteur ALLUMÉ était celui de la chambre de Manu.

Je suis monté au pas de course et quand j'ai ouvert la porte de Manu, je me suis pris une vague de chaleur en pleine figure. Manu s'était installé avec un radiateur, un tas de provisions et d'AUTRES bricoles.

Quand ça a mal tourné, Manu a dû se dire que c'était chacun pour soi. Je pense qu'il nous aurait laissé mourir de froid pourvu que LUI ait de quoi survivre.

Maman lui a demandé pourquoi il avait coupé tous les fusibles, et il a marmonné quelque chose comme quoi c'était parce que personne ne lui avait appris à lacer ses chaussures.

Pendant que ma mère s'occupait de Manu, je suis descendu à la cave enclencher tous les fusibles. L'électricité est revenue aussitôt, et la chaudière s'est remise en marche. Quelques minutes plus tard, papa a appelé pour annoncer que la route était dégagée et qu'il rentrait.

J'ai regardé par la fenêtre et j'ai vu le chasse-neige qui grimpait la côte.

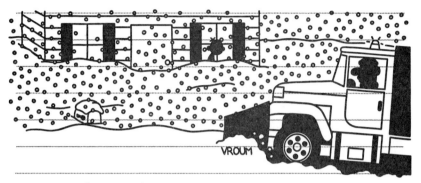

Maman a dit que c'était un miracle que papa puisse être là pour le réveillon, mais pour être franc avec vous j'avais complètement oublié quel jour on était.

Mon père s'est arrêté en chemin pour acheter à manger, et on s'est jetés dessus comme une meute de loups affamés. Eh bien, laissez-moi vous dire que je ne considérerai plus jamais la nourriture comme quelque chose qui va de soi.

Maman a dit qu'elle partait avec papa pour essayer de trouver un magasin de lunettes ouvert.

Avant de partir, elle m'a demandé de porter un cadeau
au poste de police et de le mettre dans le conteneur
extérieur, parce que c'était le dernier jour possible
pour la collecte de jouets.

Je n'étais pas très chaud pour montrer ma tête
au poste de police, et je n'avais VRAIMENT pas
besoin de passer Noël en prison. Mais comme
je ne voulais pas qu'un gamin soit privé de cadeau,
j'ai dégoté une cagoule de ski dans le placard et
je suis parti.

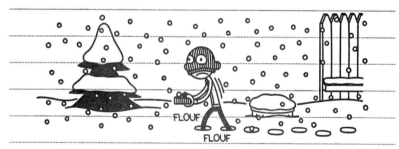

J'ai mis un temps infini à arriver au poste,
et j'ai parcouru les derniers mètres en rampant,
par précaution.

Dès que la voie a été libre, je me suis relevé
et j'ai fourré le cadeau dans le conteneur.

COLLECTE DE JOUETS

Ensuite j'ai fait demi-tour et je suis reparti vers
la maison. Mais au moment où je passais devant l'église,
je me suis rappelé un truc. J'avais rempli une demande
pour l'arbre aux dons, en précisant à celui qui aurait
mon enveloppe de laisser l'argent sous le bac de tri
sélectif, derrière l'église.

Le parking de l'église disparaissait sous la neige. J'étais pratiquement sûr que le bac de tri sélectif se trouvait enfoui quelque part par là, mais je ne savais pas exactement où.

Heureusement, il y avait une pelle appuyée contre le mur, et j'ai pu dégager la neige pour chercher le bac.
Il ne se trouvait pas là où je pensais qu'il était, et, au bout du compte, j'ai déblayé un coin ÉNORME pour le trouver.

J'ai regretté qu'il n'y ait pas de tuyau d'arrosage, car ça m'aurait drôlement simplifié la tâche.
J'avais terriblement besoin de trouver cette enveloppe, parce que si je devais partir en cavale, une grosse liasse de billets me permettrait de tenir quelques semaines.

Mais quand j'ai enfin trouvé le bac de recyclage,
il n'y avait pas la moindre enveloppe dessous.

Je suis rentré chez moi complètement déprimé,
et j'en ai oublié d'être discret. Je ne m'attendais donc
pas du tout, en arrivant à la maison, à voir une voiture
de police se garer juste derrière moi.

J'étais cuit, alors je me suis rué à l'intérieur
de la maison et j'ai fermé la porte. Mais quand les flics
ont frappé, Rodrick leur a ouvert.

J'ai envisagé de m'enfuir par la fenêtre de derrière, mais je suis content de ne pas l'avoir fait, sans quoi je me serais ridiculisé. En fait, les policiers ne venaient pas du tout m'arrêter mais juste chercher les cadeaux de dernière minute pour la collecte des jouets.

J'ai cru qu'ils bluffaient et qu'ils parlaient de la collecte pour me faire sortir. Mais j'ai quand même trouvé le courage de m'approcher de la porte d'entrée. J'ai même apporté un cadeau et essayé de paraître à peu près normal.

Les policiers ont dit qu'ils ne pouvaient pas accepter de jouets usagés pour la collecte et ne prenaient que des neufs dans leur paquet d'origine. Je crois qu'ils ont simplement eu la trouille d'Alfredo, parce que, après ça, ils ont eu l'air pressés de filer.

Noël

Ce matin, quand je me suis réveillé, je n'arrivais pas à croire que c'était Noël, que je me trouvais chez moi, avec l'électricité et le chauffage, et que je n'avais plus à fuir la police.

Je suis descendu voir s'il y avait quelque chose sous le sapin, et j'ai eu le choc de ma vie en découvrant qu'il n'y avait pas un SEUL cadeau.

J'ai d'abord cru que c'était l'Agent du père Noël
qui m'avait cafté, avec tous les mauvais plans que j'ai eus
ces derniers temps. Et puis ma mère n'a pas tardé
à me rejoindre et a dit que le père Noël était BIEN
passé, mais qu'il avait laissé nos cadeaux au garage.

D'après elle, la tempête a complètement perturbé
l'agenda du père Noël, qui s'est retrouvé à court
de papier cadeau et a tout mis dans des sacs-poubelle.
Je n'ai pas trouvé ça très logique, mais au point
où on en était j'étais soulagé qu'il y ait quelque chose.

Le reste de la famille est descendu, et maman a dit
qu'on allait s'amuser en essayant de deviner à tâtons
ce qui se trouvait dans les sacs-poubelle.

Ce n'était pas vraiment la même chose. Mais je crois que papa était plutôt content de ne pas avoir tous les papiers d'emballage à ramasser.

Une fois tous les cadeaux des sacs-poubelle ouverts, maman m'a donné un paquet emballé qui était de SA part.

C'était mon roman graphique, *La Tour des Druides*, et j'ai été un peu déconcerté. Mais elle m'a expliqué qu'elle se sentait honteuse d'avoir fait un faux autographe de Kenny Centazzo, alors elle a cherché où il signait et elle lui a apporté mon bouquin, pour de vrai, cette fois.

Elle a dit qu'elle avait fait la queue pendant trois heures, mais qu'elle avait été contente de le faire pour moi.

Mais si j'en juge la dédicace, Kenny Centazzo n'a pas dû bien entendre mon nom.

À mon plus grand
fan, Craig
Kenny Centazzo

Avec un peu de chance, je tomberai un jour sur un dingue de romans graphiques plein aux as qui s'appelle Craig et qui me l'achètera pour un paquet de billets.

Rodrick a eu une caisse claire et des baguettes,
et Manu des jouets et une paire de chaussures.
Et même si maman lui a appris hier à lacer ses souliers,
on dirait bien qu'il préfère que ce soit elle qui le fasse.

Quand on a eu fini d'ouvrir les cadeaux, maman a dit
que c'était l'heure d'aller à l'église. Je lui ai répondu
qu'on ne pouvait pas y aller parce qu'on n'avait rien
de propre à se mettre, mais elle a encore sorti trois
derniers paquets.

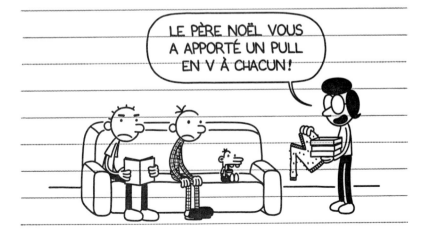

J'adore passer Noël en pyjama, parce que,
dès qu'on s'habille, c'est comme si ça mettait fin
à la fête. Alors j'ai décidé d'enfiler mes vêtements
PAR-DESSUS mon pyjama pour reprendre les choses
là où je les avais laissées dès que je rentrerais
à la maison. Mais c'était une erreur de garder
de la flanelle sous un pantalon en velours et un pull-over
pendant une messe de deux heures.

En rentrant de l'église, je suis monté me changer.
J'avais carrément des flaques de sueur
dans mes chaussures, et j'ai dû les vider dans le lavabo.

Quand je suis descendu, le journal se trouvait
sur la table de la cuisine, et voilà ce qu'il y avait
en première page :

LES DERNIÈRES NOUVELLES DU JOUR

Une bonne âme déblaie le chemin

Une action désintéressée permet à la soupe populaire de rouvrir.

La tempête qui a paralysé la ville et fermé de nombreux services essentiels menaçait la soupe populaire, sur laquelle comptent tant de personnes dans la précarité pour avoir un repas chaud à Noël. Mais un jeune anonyme a passé son après-midi du réveillon à déblayer les abords de l'église pour que cela n'arrive pas.

(Suite de l'article page 2)

En fait, le journal n'a pas vraiment saisi le fond de l'histoire, mais je ne vais pas m'en plaindre. Cet article m'a même donné une idée pour sortir un nouveau numéro de *La Commère du quartier*. Et je parie que, cette fois, je vais en vendre des TONNES.

La COMMÈRE du quartier

LE HÉROS MASQUÉ
IDENTIFIÉ !

La Commère peut en exclusivité vous révéler que la bonne âme mystérieuse qui a dégagé la neige derrière l'église le 24 décembre n'est autre que le rédacteur en chef de ce journal, Greg Heffley.

— J'ai simplement fait ce qu'il fallait, a déclaré Heffley lorsqu'on lui a demandé pourquoi il avait décidé de...

(Suite de l'article page 2)

Remerciements

Merci à tous les enseignants et bibliothécaires qui ont mis mes livres entre les mains des jeunes lecteurs.

Merci à ma grande et merveilleuse famille pour tout son amour et son humour. Nous formons vraiment une bande à part, et j'ai beaucoup de chance de faire partie de vos vies.

Merci à toute l'équipe d'Abrams de m'avoir permis de réaliser mon rêve de devenir auteur de BD. Merci à Charlie Koch-man, mon éditeur dévoué et enthousiaste, et à Michael Jacobs pour avoir emmené le Dégonflé de plus en plus haut. Merci à Jason Wells, Veronica Wasserman, Scott Auerbach et Chad W. Beckerman. On s'est bien marrés et c'est super de faire ça avec vous.

Merci à Jess Brallier et à l'équipe brillantissime de Poptropica pour votre patience et votre compréhension aux moments les plus fous, et pour votre engagement à créer du sens pour les plus jeunes.

Merci à Sylvie Rabineau, mon agent formidable, pour ton soutien, tes encouragements et tes conseils. Merci à Carla, Elizabeth et Nick, de la Fox, et merci à Nina, Brad et David d'avoir travaillé avec moi pour avoir fait vivre Greg Heffley sur grand écran.

À propos de l'auteur

Jeff Kinney est concepteur et réalisateur de jeux en ligne, et il fait partie des auteurs numéro un sur la liste des best-sellers du *New York Times*. Jeff compte parmi les 100 personnes les plus influentes du monde sélectionnées par *Time Magazine*. Jeff est également le créateur de Poptropica.com, qui figure sur la liste des 50 meilleurs sites Web référencés par *Time Magazine*. Il a passé son enfance dans la région de Washington avant de s'installer, en 1995, en Nouvelle-Angleterre. Jeff vit dans le sud du Massachusetts avec sa femme et leurs deux fils.

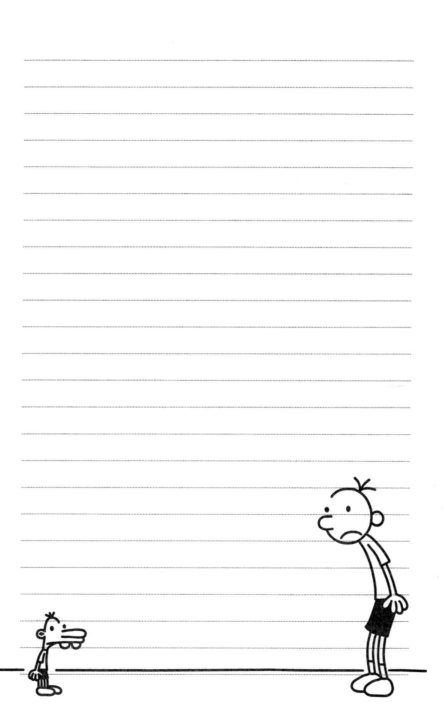

Mise en pages : Lorette Mayon

Dépôt légal : février 2013

Achevé d'imprimer en France par CPI Firmin-Didot. n°108373-1 (114945)